«Il n'y a pas d'endroit à Versailles
qui n'ait été modifié dix fois... Le Roi avoue lui-r..
qu'il y avait des fautes dans l'architecture. Cela vient
dans le principe, il ne voulait pas y bâtir un si vaste
mais seulement faire agrandir un petit château qui s'y
Alors, au lieu de faire abattre entièrement le petit c.
et d'en construire un grand sur un dessin nouver
il a, pour sauver l'ancien château, fait élever des const
tout autour, le recouvrant, pour ainsi dire, d'un beau r
et cela a tout gâté.»

Princesse Palatine

1663, transformation du pavillon de chasse de Louis XIII
par Louis XIV; 1668, enveloppe de Le Vau; 1671-1683, escalier
des Ambassadeurs; 1678, 2ᵉ Orangerie de Mansart;

1678-1682, aile du Midi; 1685-1689, destruction de la grotte de Thétis pour construire l'aile du Nord; 1680, Grand Trianon remplaçant le Trianon de porcelaine; 1699-1710, 5e Chapelle.

1741, inauguration du bassin de Neptune; 1750, Petit Trianon, nouvelle Ménagerie, Pavillon français; 1753, destruction de l'escalier des Ambassadeurs,

transformé en Cabinets intérieurs; 1770, Opéra royal; 1774, aile de Gabriel; 1775, replantation des jardins; 1783-1785, Hameau de Marie-Antoinette, Belvédère et temple de l'Amour.

Claire Constans,
conservateur
général honoraire du
Patrimoine, a fait toute
sa carrière à Versailles
comme responsable
des peintures dont elle
rédigea le catalogue ;
elle y encadre un
groupe de recherche
sur les galeries
européennes, lieux
de pouvoir. Ses
publications touchent
essentiellement à la
peinture d'histoire des
XVIIe et XIXe siècles. Elle
a notamment organisé
les expositions
« L'Escalier des
Ambassadeurs »
(Versailles, 1990) et
« La Grèce en révolte »
(Bordeaux-Paris-
Athènes, 1996).

*1er dépôt légal : octobre 1989
Dépôt légal : juin 2011
Numéro d'édition : 184261
ISBN : 978-2-07-053493-7
Imprimé en France par Clerc*

VERSAILLES
CHÂTEAU DE LA FRANCE
ET ORGUEIL DES ROIS

Claire Constans

DÉCOUVERTES GALLIMARD
RMN – GRAND PALAIS
CULTURE ET SOCIÉTÉ

En 1607, Louis XIII chasse pour la première fois à Versailles. Il a six ans, mais se souviendra longtemps de cette journée. Il aime tant ces terres giboyeuses qu'il y revient souvent. Il s'y construit une halte de chasse. Qui peut prévoir alors que son fils fera de ce «pays de bois et de broussailles» l'un des lieux les plus magnifiques de l'univers?

CHAPITRE PREMIER
UNE PASSION DÉMESURÉE

Tel père, tel fils : la même passion anime Louis XIII et Louis XIV. Mais ce qui n'est pour Louis XIII (à droite) qu'un petit ermitage réservé à la chasse et à l'intimité, va devenir par la volonté fougueuse du Roi-Soleil la résidence de la cour de France pendant plus de cent ans. A gauche, Louis XIV, dominant Versailles, donne des ordres pour l'aménagement du site.

Des rois nomades

Comme Londres ou Madrid, Paris est bien une capitale, mais son roi la déserte et parcourt le pays. Raisons politiques et impératifs d'intendance, nos rois semblent avoir eu la bougeotte. Le «voyage de France» est souvent l'occasion d'un nouvel impôt et permet au roi de le faire connaître de ses sujets et de l'administration locale. Il ne voyage pas seul, mais accompagné de sa famille, de son gouvernement et souvent du corps diplomatique qui, à l'instar de Marino Giustiniano, ambassadeur de Venise auprès de François Ier, regrette la routine et le confort d'une vie plus mondaine : «Durant toute mon ambassade, jamais la Cour n'est restée au même endroit plus de quinze jours consécutifs.» Tout comme son ancêtre François Ier, son père Louis XIII ou son voisin Charles Quint, le Roi-Soleil voyage à l'intérieur de ses frontières, présentant le dauphin et renforçant par là sa légitimité.

   Durant la première partie de son règne personnel, Louis XIV ne cesse d'inspecter les villes frontières, campant souvent au milieu des gravats. Mais quoi d'étonnant, le chef politique n'assoit-il pas depuis toujours son pouvoir et sa renommée sur sa valeur militaire ?

   Les voyages incessants de la Cour ravivent l'économie locale, mais l'épuisent tout autant. Une ville moyenne de province comme Toulouse ou Bordeaux supporte difficilement un séjour royal de plus d'un mois.

Le Louvre, les Tuileries, Vincennes, Saint-Germain, Fontainebleau, Chambord, Saint-Cloud, Versailles enfin, et combien d'autres !

Louis XIV – que l'on imagine toujours résidant à Versailles – «tâte» des nombreuses maisons reçues en héritage avant de s'y fixer pour la plus grande partie de l'année à partir de 1682.

   L'année 1671 peut, à cet égard, donner le vertige : les châteaux n'y sont que chantiers enfiévrés, tandis que le roi va de l'un à l'autre, déménageant plus de vingt fois entre le 1er janvier et le 1er mai – Paris,

Saint-Germain, Versailles, Chantilly –, inspectant ensuite les villes frontières du Nord pendant deux mois – Dunkerque, Lille, Tournai, Charleroi, Saint-Quentin –, séjournant l'été à Saint-Germain, Versailles, Fontainebleau, ou à Saint-Cloud, chez Monsieur, frère du roi. A l'automne d'une année où l'on a exceptionnellement délaissé Chambord, le rythme se calme, au grand soulagement d'une suite qui, n'osant broncher, redoute l'inconfort d'une expédition militaire que le roi supporte, impassible : «L'on ne peut dans les marches, jamais avoir ni les carrosses, ni les bagages;

«L e carrosse de la Reine Marie-Thérèse accompagnée de plusieurs dames, entre à Arras. Le Roy Louis XIV est à cheval, suivi de toute sa Cour.» Ce tableau, commandé à Van der Meulen pour le château de Marly, montre le souci qu'a Louis XIV de légitimer la campagne de Flandre de 1667. Celle-ci est entreprise pour montrer que la reine n'a pas renoncé à son héritage, puisque sa dot n'a pas été payée. L'artiste a laissé de nombreuses vues de la «ceinture de fer» de Vauban : Lille, Tournai, Douai...

je mange et dors comme je peux, je fais gloire de ne pas me plaindre...», relate le marquis de Saint-Maurice, en 1667.

Des rois chasseurs

François Ier déjà obéit aux «fantaisies des cerfs» et cette passion tient tout autant ses successeurs : le plein air est l'école d'endurance des jeunes princes. C'est surtout à Villers-Cotterêts, Chambord et Fontainebleau – où le séjour peut durer jusqu'à deux mois – que le roi prend «le divertissement de la chasse», malgré l'éloignement, l'inconfort ou l'incommodité de gouvernement. Versailles est boisé, giboyeux, moins éloigné tant de Saint-Germain que de Paris, et en simple devenir : voilà bien des arguments qui y amèneront de plus en plus souvent les Bourbons.

Irrigué par les rus de Galie et de Marivel, «pays de bois et de broussailles» tout à la fois vaux et buttes, étangs et plateaux, ce lieu, dont le nom figure dès 1038 dans une charte du comte Eudes de Chartres, a été habité, défriché, cultivé depuis le Moyen Age (le nom même de Versailles viendrait-il du verbe latin *versare* qui signifie retourner la terre?).

A l'heure de son éveil, il fait partie d'une seigneurie dont le propriétaire est Jean-François de Gondi, héritier d'une illustre famille florentine et premier archevêque de Paris, qui en a fait l'acquisition en 1575.

Chambord (ci-dessus), Saint-Cloud (à droite) et Louis XIV gardant la chasse à Saint-Germain (ci-contre).

Un manoir en ruines, dominant le village, un colombier, une ferme entourée de bois et d'étangs et surtout la campagne que Le Nôtre devra bientôt domestiquer.

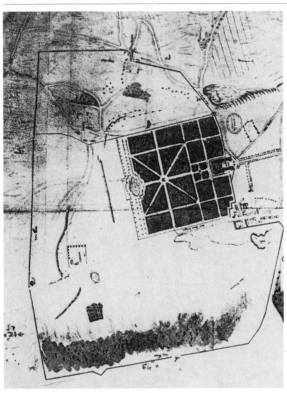

B ordé d'une fausse-braye formant terrasse, le château est entouré d'un fossé qu'enjambe un pont vers le jardin. Il est précédé d'une avant-cour longée par deux étroits communs. Les jardins couvrent soixante-dix hectares. Jacques de Memours, intendant général des Jardins du Roi en 1638,

ordonne vers l'ouest l'axe du château avec un parterre de broderie, des bosquets de buis, un large bassin (actuel bassin d'Apollon) qui reçoit les eaux des marais voisins. A la place de l'actuel parterre du Midi, un potager et un verger descendent vers la grande rue du village.

L'agrandissement du domaine de Versailles

Le jeune Louis XIII chasse à Versailles dès 1607, prend grand soin de sa garenne, y revient souvent chasser le cerf ou le renard. Il décide, dès l'hiver 1623, de s'y construire une «petite maison», surveillant l'arpentage et les regroupements nécessaires, négociant en 1631 pour 10 000 livres 117 arpents à 17 propriétaires, en acquérant quelques mois plus tard 167 autres pour quelque 16 000 livres et couronnant le tout le 8 avril 1632 par l'achat de la seigneurie de Versailles et du «vieil château en ruines» que J.-F. de Gondi lui cède pour 60 000 livres. L'installation d'un bailli «juge royal et criminel au bailliage royal de Versailles-au-Val-de-

Galie» confirme aux yeux de tous le choix royal.

Etrange Versailles ! N'y faut-il pas rendre hommage à Louis XIII jugé si hâtivement falot ? Et mesurer sa clairvoyance et son pragmatisme envers ce qui apparaît d'abord comme un lieu de retraite ?

La construction d'un château en moellon et crépi débute le 6 septembre 1623

Le 28 juin 1624, le roi peut y coucher grâce à la diligence de l'entrepreneur Nicolas Huau. Ce qui restera l'«âme» de Versailles se compose d'un corps de logis qui comprend l'appartement du roi à l'étage et celui du capitaine des gardes au rez-de-chaussée. Il est

Le plan de la collection d'Anville et les premiers relevés montrent le noyau du château tel qu'il était en 1634, après l'intervention de Philibert Le Roy.

précédé de deux ailes qui forment les communs – au nord armurerie et cuisines, au sud garde-meuble et commodités.

Déjà, le château est trop petit. De 1631 à 1634, Philibert Le Roy le reconstruit : même emplacement sur la butte, même orientation, même appareil de brique et pierre, même forme en U soulignée de quatre pavillons d'angle et fermée à l'est par une colonnade. A l'étage du corps de logis, le roi et la reine ont chacun une antichambre et une chambre.

Mais Versailles, c'est surtout la passion d'un Louis XIII jeune, ardent et sportif

Le maréchal de Bassompierre, évoquant l'assemblée des Notables de 1627, rappelle le reproche fait alors au roi du «chétif château de Versailles, de la construction duquel un simple gentilhomme ne voudrait pas prendre vanité».

Le marquis de Sourches parlera dans ses *Mémoires* d'un «petit château de gentilhomme», et le duc de Saint-Simon d'un «petit château de cartes que Louis XIII y avait fait pour n'y plus coucher sur la paille» (ou plutôt dans l'une des maisons du village, probablement confortable, où l'on installe son lit qu'il a envoyé chercher à Paris le 9 mars 1624).

C'est un Louis XIII bien inattendu qui se révèle à Versailles, chasseur passionné – on le voit tel jour, dès 3 heures du matin, détournant le cerf près de Marly ; avisé comme un financier en achetant un domaine fort rentable (on dira encore au XIXᵉ siècle d'un prodigue «qu'il mangeait le revenu de Galie») ; impatient de l'avancement des travaux de «son bâtiment» qu'il visite jusqu'à trois fois la semaine et qui coûteront plus de 200 000 livres alors qu'il a interrompu par économie les autres grands chantiers royaux ; solidement installé dans ce qui est en train de devenir une demeure où, le 11 novembre 1630, il affirme son autorité et où il se rend régulièrement «pour entretenir sa santé par le travail de la chasse et les autres exercices des princes», mais aussi pour tenir conseil ou contrôler l'exercice des mousquetaires ; fier encore de ce Versailles dont il fait les honneurs, dès 1626, aux reines sa mère et son épouse, et à la Cour, par des fêtes souvent répétées : «La Reine vint hier ici

C'est ce tout premier château qui fait entrer Versailles dans l'histoire en 1630, lorsque, mis en demeure par sa mère Marie de Médicis de choisir entre sa présence au Conseil ou celle de Richelieu, Louis XIII (ci-dessus) accorde sa confiance au cardinal. Cette «journée des Dupes» marque le début du redressement de l'autorité royale.

accompagnée de la duchesse de
Montbazon et de ses filles.
Monsieur y est aussi arrivé de
Paris en même temps.
Sa Majesté est allée au-devant de
la Reine; et, après lui avoir fait
voir la maison, lui a fait une très
belle collation et aux dames de
sa suite, près desquelles il y avait
les gentilshommes ordonnés de
sa part pour les servir. Après cette
collation, la Reine et toutes les
dames sont allées à cheval dans
le parc voir chasser le renard aux
chiens du roi, qui ont fort bien
chassé, et comme ce
divertissement n'était que pour
la Reine et les dames, il n'y avait
aussi qu'elles à cheval; le Roi,
Monsieur et tous les seigneurs
étaient à pied près d'elles...»
(*Gazette de France*, 1635); étrangement attaché,
enfin, à son château où il supplie Mlle de la Fayette
de le rejoindre et où il envisage, à la veille de sa
mort, de se retirer «avec quatre de vos frères
[jésuites] pour s'entretenir avec eux des choses
divines» dès que le dauphin sera «en état de monter
à cheval et en âge de majorité». La fortune de
Versailles n'est-elle pas déjà faite?

A nne d'Autriche,
élégante aux goûts
artistiques raffinés, fait
régner autour d'elle un
ton de bonne société.
Laissée à l'écart du
petit Versailles de
Louis XIII, elle se
tiendra spirituellement
présente dans le grand
Versailles de son fils.

S ur cette gravure
d'Israel Silvestre,
c'est la façade ouest,
sur le parc, qui est pour
la première fois
représentée.

Premières échappées de Louis XIV à Versailles

De son père, Louis XIV hérite le goût de la chasse; de sa mère celui des belles manières et du raffinement. Mazarin, qui lui laisse des chefs-d'œuvre, lui enseigne la jouissance du collectionneur. A Vaux, Fouquet, superbe, lui montre l'harmonie, tandis que Colbert le convainc que servir le beau, c'est assurer la gloire. Quant à lui, ce sont les «bâtiments», les jardins et la musique qu'il aime : pourquoi, dès lors, ne pas les servir tout ensemble dans ce Versailles à peine ébauché?

En pressent-il déjà la magnificence, lui qui aime Saint-Germain, son point de vue, ses chasses, y ordonne d'importants travaux et en fait sa résidence principale, de 1666 à 1673? Sa cour jeune et brillante lui pèse-t-elle au point qu'il s'échappe si souvent à Versailles pour y trouver la détente? «On fit un petit voyage de cinq à six jours à Versailles, où il y avait très peu de monde [...] ainsi cela faisait de grandes intrigues pour y aller» : en 1661, Mlle de Montpensier dit ce qu'est la faveur royale; plus tard, les courtisans de Versailles supplieront le roi de les admettre aux promenades de Marly.

Déjà on réaménage et on agrandit le château; Louis XIV va bientôt prendre au mot le cavalier Bernin qui, le 13 septembre 1665 «dit à Sa Majesté qu'il avait trouvé tout ce qu'il venait de voir galant et fort beau; qu'il s'étonnait comment elle ne venait dans un si agréable lieu qu'une seule fois la semaine; qu'il méritait bien qu'elle y vînt au moins deux fois».

Est-ce la magie du lieu? L'épreuve du bien-être loin d'une cour surpeuplée? Le charme ou la commodité d'une maison petite, moderne, propre aux escapades amoureuses? C'est l'hypothèse que retient Saint-Simon : «L'amour de Mme de La Vallière, qui fut d'abord un mystère, donna lieu à de fréquentes promenades à Versailles [...]. Le roi y allait une ou deux fois la semaine, en très petite compagnie [...] et imagina un habit bleu doublé de rouge, avec la veste rouge, l'un et l'autre brodés d'un dessin particulier : il en donna à une douzaine

**J'ay pour gallant le plus grand roy du monde...
je suis La Vallière, moy,
je suis La Vallière.**

••Ce fut dans cet important et brillant tourbillon où le Roi se jeta d'abord, et où il prit cet air de politesse et de galanterie qu'il a toujours su conserver toute sa vie, qu'il a si bien su allier avec la décence et la majesté. On peut dire qu'il était fait pour elle, et que, au milieu de tous les autres hommes, sa taille, son port, les grâces, la beauté, et la grande mine qui succéda à la beauté, jusqu'au son de sa voix et à l'adresse et la grâce naturelle et majestueuse de toute sa personne, le faisaient distinguer jusqu'à sa mort comme le roi des abeilles.**••**

Saint-Simon

de ceux à qui il permettait de le suivre à ces petites promenades particulières de Versailles. »

Est-ce aussi une façon de s'enraciner en faisant sienne une maison construite par son père et aimée de lui ? Tout roi absolu qu'il soit, il n'en est pas moins orphelin depuis l'âge de cinq ans… La passion de Louis XIV pour Versailles, qui étonne ses contemporains, est probablement tout cela à la fois.

Le roi se fait la main

La chasse permet à Louis XIV de se familiariser avec le lieu : Marly, Noisy, Trianon, Saint-Cyr même. En outre, il apprend beaucoup de ses maisons et de ses chantiers qui en font un gyrovague, dont il éprouve les beautés, les agréments ou les erreurs.

Saint-Germain d'abord, dont il aménage les jardins et pour lequel il ordonne à Le Vau l'admirable terrasse qui même à Versailles n'aura pas d'équivalent, tandis qu'à l'intérieur, il impose une «mécanique» qui durera au-delà de son règne, s'y réserve des «petits appartements», sorte d'esquisse de ses différentes retraites versaillaises, appréciant la transparence des bâtiments qu'il réclamera à Versailles.

Saint-Germain et sa terrasse, Vincennes : autant de «résidences royales raffinées».

Le Louvre inconfortable, trop petit aussi, pour lequel il fait venir en 1665 le Bernin – qui se révèle plus soucieux de décor que de fonction – et où il veut installer ses collections.

Les Tuileries, avec la perspective de Le Nôtre fuyant jusqu'à l'Etoile, et Vincennes enfin, où Le Vau élève les grands pavillons du Roi et de la Reine. L'immensité des aménagements ne le rebute pas et peut apparaître comme un champ d'expérience.

Mais la véritable leçon lui est donnée à Vaux-le-Vicomte, au château de son surintendant des Finances, Fouquet. Le roi en a constaté la réalisation en moins de cinq ans (1657-1661) : l'ensemble de plafonds peints, les tapisseries d'après Raphaël et Le Brun réalisées dans la toute proche manufacture

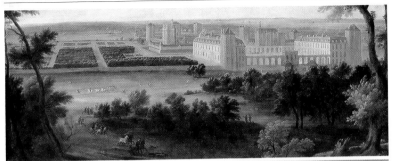

de Maincy, les jardins, la perspective, l'alliance des communs en brique et pierre au château de pierre, les deux fêtes magnifiques de 1660 et 1661, tout cela doit donner bien des idées au roi soupçonneux de la fortune de Fouquet, mais admiratif du spectacle de Molière et des jeux d'eau.

Le carrousel de 1662 donné aux Tuileries sera encore un divertissement à l'ancienne ; à Versailles, la fête de 1664 révélera au roi les ressources de l'équipe de Vaux et quel parti en tirer. Celle de 1668, plus épurée, longuement préparée, sera un spectacle où la splendeur confine à l'œuvre d'art.

Paris, ville du XVIIe siècle ? Le Muet, Lemercier, Perrault, Le Vau, Bruant, d'Orbay, Martellange, Mansart et son neveu Hardouin-Mansart, ordonnent les places, ouvrent la ville vers l'ouest, construisent des quartiers entiers : Marais, Saint-Germain, Saint-Honoré. Au Louvre même (ci-dessus), on achève la Cour Carrée. Mais le Bernin, arraché à grands frais à ses chantiers romains, n'en fera pas la Colonnade.

Insensiblement, l'idée fait son chemin : Louis XIV veut une maison à lui, digne de lui, et il veut s'en donner les moyens

«Comme le roi aime particulièrement cette maison, qu'il se plaît à la rendre la plus galante et la plus propre à y donner aux personnes royales tous les divertissements de chaque saison... tous les jours les bals, ballets, comédie, musiques de voix et d'instruments de toutes sortes, violons, promenades, chasses et autres divertissements ont succédé les uns aux autres. Et ce qui est fort particulier en cette maison est que Sa Majesté a voulu que toutes les personnes auxquelles elle donne des appartements soient meublées. Elle fait donner à manger à tout le monde et fait fournir jusqu'au bois et aux bougies dans toutes les chambres, ce qui n'a jamais été pratiqué dans les maisons royales», écrit Colbert en 1663. On devine l'inquiétude du ministre, soucieux de l'équilibre budgétaire, qui va pourtant, pour ce Versailles qu'il n'aime guère, débloquer des fonds de plus en plus importants, mais on pressent tout autant l'immensité versaillaise que prépare la construction des Communs ou de l'Orangerie, comme le dessin des jardins.

A Vaux-Le-Vicomte, château du surintendant Nicolas Fouquet, le luxe insolent et si beau, tout autant que l'harmonie et la grandeur de l'ensemble qui ont frappé Louis XIV, sont le fait d'un trio talentueux : Louis Le Vau, architecte, André Le Nôtre, jardinier, et Charles Le Brun, premier peintre et coordonnateur. C'est aussi de l'accord de ces trois hommes que naîtra l'unité de style de Versailles. Fouquet aura ainsi fourni à Louis XIV à la fois le modèle et les hommes.

Louis XIV passe les années 1678-1679 à Saint-Germain, mais il suit de près l'avancement des ouvrages de Versailles

Le roi a déjà beaucoup dépensé; il a affecté à Versailles les artisans de Vaux : le jardinier Le Nôtre, l'architecte Le Vau, le peintre Le Brun; tous ont déjà travaillé pour lui. De Vaux, il a fait transporter les orangers et plus d'un millier de jeunes arbres. En campagne, il ne cesse de faire surveiller, presser, mander «l'effet que les orangers font à Versailles dans le lieu où ils doivent être» (lettre à Colbert depuis le camp de Besançon, 16 mai 1674). Il demande toujours plus de précisions; à Colbert qui craint de le lasser avec ses relations, il en réclame : «De longues. Le détail de tout...», quand, d'impatience, il ne dirige pas lui-même quelque aménagement : «Aussitôt que Sa Majesté eut dîné, il fut dans son appartement [...] où il demeura près de quatre heures. Il fit tapisser un des petits cabinets qui sont dans les angles en saillie sur la cour; et après fit poser et attacher au pourtour dudit cabinet des tableaux et des tablettes, témoignant qu'il eût été bien aise que les peintres

Recommandé à Louis XIV par Mazarin, l'austère Colbert, travailleur infatigable que Mme de Sévigné surnomme «le Vent du nord», est le plus zélé des ministres du Roi-Soleil : la croix du Saint-Esprit montre combien il est estimé.

eussent achevé leur travail desdits cabinets parce qu'ils avaient demandé encore trois jours pour finir» (rapport de Petit à Colbert, 1663).

Le roi se fixe

Le dessein versaillais se fait plus ferme. A travers les fêtes données çà et là, les travaux menés de front et les campagnes victorieuses, Louis XIV garde sa décision : il installera la Cour à Versailles et devra se résoudre à concilier une passion qui réclame le secret, sa fierté de l'étaler et l'exigence politique de rassembler le gouvernement et la Cour, comme jadis François Ier à Fontainebleau; il usera d'un faste qui lui attachera les courtisans. Les Tuileries l'ennuient «à tel point qu'il ira toutes les semaines trois ou quatre jours à Versailles» (Mme de Sévigné, 10 décembre 1670). Le 6 mai 1682, il s'installe dans un château en chantier, mais dont chacun, bien vite, va comprendre qu'il s'agit de la nouvelle résidence royale.

Seul contre tous

«Versailles, le plus triste de tous les lieux, sans vue, sans bois, sans eau, sans terre, parce que tout y est sable mouvant ou marécage, sans air par conséquent, qui n'y peut être bon», écrit Saint-Simon.

Ce Versailles que son père a construit, la Cour et la ville s'attachent à l'en détourner. Colbert, dès 1663, sent venir le danger. Des hommes, d'abord,

••Votre Majesté retourne de Versailles. Je la supplie de me permettre de lui dire sur ce sujet deux mots de réflexion que je fais souvent et qu'elle pardonnera, s'il lui plait, à mon zèle. Cette maison regarde bien davantage le plaisir et le divertissement de Votre Majesté que sa gloire... Si Votre Majesté veut bien chercher dans Versailles où sont plus de cinq cent mille écus qui y ont été dépensés depuis deux ans, elle aura assurément peine à les trouver.••

Adresse de Colbert au roi, 1663

des «barbons» qui ont fait Vaux et qui «traîneront Votre Majesté de desseins en desseins pour rendre ces ouvrages immortels si elle n'est en garde contre eux»; de Versailles ensuite, bon pour de courts séjours de divertissement, et rien d'autre : «Ah! quelle pitié que le plus grand Roi et le plus vertueux, de la véritable vertu qui fait les plus grands princes, fût mesuré à l'aune de Versailles!»

Dans la cour de la Grande Ecurie encombrée de matériaux, Colbert, entouré d'architectes et d'entrepreneurs, examine les plans du château. Le surintendant des Bâtiments du Roi s'est incliné devant la volonté de Louis XIV, les projets coûteux et grandioses contribuant au prestige royal. Occupé par l'achèvement du Louvre, il laissera à Charles Perrault, contrôleur général, le soin de surveiller le chantier.

Le Roi, continue Colbert, «a négligé le Louvre, qui est assurément le plus superbe palais qu'il y ait au monde et le plus digne de sa grandeur». En réponse, Louis XIV active les travaux du Louvre... et nomme son fidèle ministre «surintendant et ordonnateur des Bâtiments du Roi».

Les conseillers, les architectes et les techniciens convainquent presque le roi d'une démolition du château de Louis XIII et d'une reconstruction plutôt que des successives et incessantes rapetasseries. Mais scrupule, économie, narcissisme ou contentement de ses premiers travaux, le roi veut conserver le «château de cartes». Non sans peine. A Colbert, Le Vau et Perrault, partisans de la table rase, il «dit d'un ton fort et qui paraissait ému de colère : "Faites ce qu'il vous plaira; mais si vous l'abattez, je ferai rebâtir tel qu'il est et sans rien y changer."»

Les difficultés du lieu, quasiment insurmontables, ne découragent pas le roi

Louis XIV leur oppose une volonté de fer pour venir à bout d'une entreprise menée avec une rigueur quasi militaire pendant plus de quarante ans. Le 31 mai 1685, Dangeau rapporte qu'on évalue à 36 000 «les gens qui travaillent présentement ici ou aux environs de Versailles», qu'il faut loger, approvisionner, équiper, indemniser en cas d'accident. Les comptes des Bâtiments du Roi sont riches d'évaluations diverses : 30 à 40 livres pour une jambe, un bras, ou une côte cassés, 60 pour un œil crevé, 60 à 100 livres étant versées à la veuve d'un ouvrier victime d'un éboulement.

Louis XIV a besoin de toute son opiniâtreté et Colbert – une fois admise la volonté royale –, d'une solide organisation pour vaincre autant d'hostilité naturelle : car ce lieu qui envoûte le roi n'est pas particulièrement accueillant. C'est ainsi que pour les colossaux «remuements» de terre, creusements et terrassements liés à la construction de l'Orangerie de Mansart et à la création du «lac des Suisses » à partir d'étangs existants, il est fait appel au régiment des Gardes suisses (1678-1682). Mais dix ans plus tôt, Mlle de Scudéry raconte déjà l'intrépidité du roi, et sa réputation à forcer la nature «laquelle lui avait refusé le secours d'une heureuse situation» (marquis de Sourches).

•• Une femme qui avait perdu son fils d'une chute pendant qu'il travaillait aux machines de Versailles [...] présenta un placet en blanc pour être remarquée; en même temps, elle dit des injures au Roi, l'appelant putassier, roi machiniste, tyran, dont le Roi surpris demanda si elle parlait de lui. A quoi elle répliqua que oui et continua. Elle fut prise et condamnée sur-le-champ à avoir le fouet.••

Lefèvre d'Ormesson, 1668

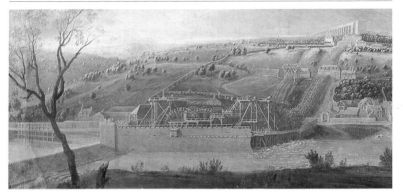

C'est pourtant cette eau, qui fait la gloire de Versailles, qui inflige à Louis XIV son seul réel revers

La «machine de la rivière Seine» installée par Deville à Marly et d'abord destinée à alimenter les réservoirs de Montbauron sera réservée à Marly même. A Versailles, le roi entreprend la construction d'un canal dérivé de l'Eure conduisant l'eau jusqu'au château avec, en particulier, les deux énormes aqueducs de Maintenon et de Berchères. Véritables travaux de Romains qui dureront plus de six ans et utiliseront, outre l'énergie de Vauban et du mathématicien La Hire, nombre d'entreprises privées et les régiments du roi; le coût énorme de l'opération, les maladies et les morts causées par «le rude travail et plus encore l'exhalaison de tant de terres remuées», la guerre enfin, tout cela contraint le roi à abandonner ce chantier. Il ne fera jouer ses eaux qu'en alternance et avec parcimonie : le jet du Dragon est «ordinaire», ou de «grande manière» en sa présence : Charles Perrault confie que «l'on était en branle de quitter Versailles pour aller bâtir dans un terrain plus heureux» et y trouver des eaux plus dociles... et présentes!

Les réservoirs de la colline de Montbauron ont alimenté les fêtes versaillaises avant d'être relayés par les réservoirs de l'aile du Nord qui, aujourd'hui encore, se vident à l'occasion des grandes eaux. La célèbre machine de Arnold Deville et Rennequin Sualem (ci-dessus) n'eut pas l'efficacité que laissait présager son impressionnant mécanisme.

Projets, transformations, démolitions, urgences, nécessités financières : que d'embûches dominées pour donner l'illusion d'une perfection longuement mûrie! Cinq chapelles successives, autant, ou plus, de salles de spectacle et l'incessant bouleversement des jardins… De 1661 à la Révolution, Versailles n'est qu'un perpétuel chantier, particulièrement actif lors des absences de la Cour.

L'ordonnance générale du château – déjà modifié et agrandi par Le Vau – le toit dissimulé, la terrasse centrale témoignent du goût italien. Au nord, l'appartement du Roi. Lui faisant face, celui de la Reine. Ils sont reliés par une terrasse, qui sera bientôt couverte par la galerie des Glaces.

CHAPITRE II
LES ÉTAPES DE LA CONSTRUCTION

De fête en fête, les premiers travaux de Louis XIV

Commencée en 1661 à la mort de Mazarin, la première grande tranche de travaux dure quatre ans. Elle est ponctuée par la fête des Plaisirs de l'Ile enchantée offerte par le roi à la Cour en l'honneur de Mlle de La Vallière, du 7 au 9 mai 1664. Dans l'avant-cour, les communs de Louis XIII sont reconstruits, plus vastes, bientôt ornés de statues des quatre éléments ; les cuisines au nord et les écuries au sud bordent une avant-cour en demi-lune fermée par une grille, flanquée de deux pavillons de garde.

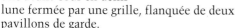

Une demeure somptueuse contribue autant à la gloire d'un grand roi que la conquête d'une nouvelle province. Louis XIV en est, plus qu'un autre, persuadé. Passionné d'architecture comme de décor intérieur, il s'intéresse aussi aux jardins.

L'ancien château de brique et de pierre est préservé mais il subit des modifications : à l'extérieur, côté jardin, l'étage est doté en 1663 d'un balcon de fer doré dû à Le Maistre, les lucarnes deviennent mansardes ; les ornements des combles se dorent (1664) et la cour se peuple de bustes (1665).

À l'intérieur, les appartements sont redistribués : au rez-de-chaussée se succèdent, du sud-est au nord-est, l'appartement bas du Roi, celui de la Grande Mademoiselle, fort bien exposé au midi, celui d'Anne d'Autriche – mère de Louis XIV –, ceux de Monsieur – frère du roi – et de Madame avec, passé les salles des Gardes, la chapelle ; à l'étage, le dauphin, la reine, le roi et une salle de billard. Autant que le décor peint par Errard, les deux livraisons de meubles pour l'appartement du Roi montrent par leur richesse que Versailles est déjà plus qu'une simple maison de campagne.

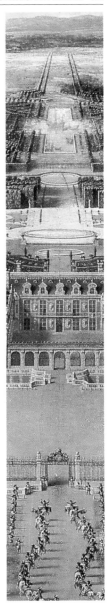

L'aménagement des jardins en convaincrait bien davantage. Le Nôtre, qui y travaille dès 1662, en conserve l'idée mais redessine l'ensemble : terminé en demi-lune, le parterre occidental s'allonge vers un parc redécoupé en symétrie par des allées de tilleuls, où l'on trace des labyrinthes, construit des glacières, transplante ifs et sapins venus de Normandie ou des pépinières de Vaux; le parterre du Midi domine une orangerie aménagée par Le Vau dans son sous-sol (1663) tandis qu'au sud-ouest on s'active à la construction d'une ménagerie et qu'une première grande commande décorative est passée aux sculpteurs Anguier, Lerambert, Houzeau ou Buyster, dont les œuvres de pierre, transportées plus tard au Palais-Royal, seront remplacées par des bronzes et des marbres.

Lors de de la somptueuse fête du 18 juillet 1668, les spectateurs peuvent mesurer la nouvelle ampleur des jardins. Dans l'axe du château, la demi-lune est «retournée» en un amphithéâtre orienté à l'ouest et bordé d'escaliers descendant vers l'Allée royale; on draine, on établit de grands plans d'eau : bassin de l'Ovale (Latone), bassin des Cygnes (Apollon), Rondeau (bassin du Dragon), ébauche du Grand Canal; enfin, le goût du roi pour les jeux d'eau force à la conception de fontaines, confiée à Denis Joly, qui dépense une fortune pour remplacer la pompe par une tour d'eau; le bronze et le plomb des Marsy, Lerambert ou Anguier ajouteront à la splendeur des jeux d'eau dont même Saint-Simon dira que «leurs effets, qu'il faut pourtant ménager, sont incomparables».

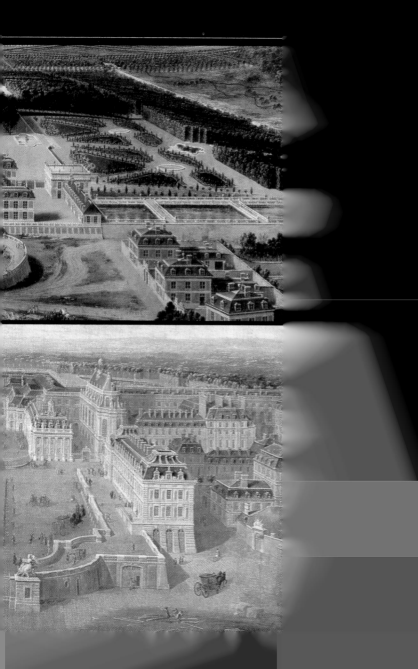

L'enveloppe de Le Vau

La fête de 1668 convainc le roi de poursuivre devant l'Europe son œuvre de magnificence. Il en charge l'étonnant trio de Vaux-le-Vicomte qui a déjà tant œuvré dans le Paris de la Fronde : Le Nôtre, Le Vau, Le Brun. Il faut d'abord agrandir le château. Lauréat d'un semblant de concours, Le Vau construit une enveloppe qui, ménageant des cours intérieures, s'appuie sur les quatre pavillons saillants. Il est fortement question de détruire l'ancienne demeure mais, après plus

Aboutis ou rejetés, les projets des architectes ne manquent pas. Ci-dessus, la coupe du Château-Vieux et de l'enveloppe de Le Vau présentée au roi en 1668 et deux projets pour le corps central du château; ci-contre, le fond de la cour de Marbre.

d'une discussion, Le Vau doit renoncer à modifier l'édifice de brique qui s'offre à l'est. Seules deux courtes ailes de raccord vers les communs seront construites en brique puis, plus avant, quatre pavillons, destinés à l'administration (1671), annonçant les «ailes des Ministres» de Mansart (1679). Côté ville, le vieux bâtiment, enchâssé par les nouvelles constructions, reste visible; côté parc, il disparaît derrière une nouvelle façade : le rez-de-chaussée est monumental, à bossages, l'étage ionique et l'attique corinthien. Le toit surbaissé se cache derrière une balustrade qui contraste avec la hauteur des combles du Château-Vieux.

A la mort de Le Vau en 1670, François d'Orbay dirige l'ensemble des aménagements intérieurs. Au rez-de-chaussée, donnant sur le parterre du Nord, l'appartement des Bains constitue une sorte d'annexe de celui de Mme de Montespan qui s'y repliera en 1685. D'un luxe inouï, il comprend un Cabinet dorique, une salle de Diane ou Cabinet ionique, un cabinet des Mois ou Salon octogone, une chambre et un cabinet des bains. Il est lambrissé des plus beaux marbres, chargé des sculptures de Girardon, Desjardins et Tuby, exécutées d'après les dessins de Le Brun et les

Les longues façades de Le Vau, de d'Orbay et de Hardouin-Mansart ont-elles servi de référence aux historiens pour établir le «classicisme français»? Majestueuse horizontalité bordant les esplanades – comme cette aile des Ministres (ci-dessous) –, avant-corps rythmant l'ensemble, utilisation d'ordres antiques, contrastant avec le répertoire décoratif de statues, pots-à-feu et trophées militaires et la profusion qui répond au décor sculpté des jardins.

peintures de De Sève et de Houasse.
La décoration de bronze et de stuc
est due à Cucci, Caffiéri et
Temporiti. La seule cuve
octogonale taillée dans
un bloc de marbre
de Rance est payée
15 000 livres.

L'escalier du Roi ou des Ambassadeurs

Au dos de
l'appartement des
Bains et lui aussi
lambrissé de marbre
et doté d'un éclairage
zénithal, l'escalier
des Ambassadeurs,
introduction la plus

Après la bataille de Seneffe, en 1674, Louis XIV reçoit le Grand Condé dans l'escalier du Roi. La toile ci-dessus étant largement postérieure à la destruction de l'escalier, c'est celui de la Reine que le peintre, tentant d'en restituer les fastes, a pris pour modèle. Ci-contre, par Chevotet, le véritable escalier, avec sa niche.

magnifique aux Grands Appartements, a été prévu par Le Vau dès 1669. Aussitôt mis en chantier par d'Orbay, il n'est terminé qu'en 1680. Le 1er mars 1678, Colbert écrit encore à Louis XIV : «Les marches de l'escalier s'avancent fort et j'espère qu'il sera entièrement achevé dans le mois de juillet.» Les sommes inscrites pour sa réalisation sont colossales, et tout à la mesure tant de la fontaine ornée d'un antique que du plafond de Le Brun décoré de trompe-l'œil, allégories et victoires royales.

M arbres français blanc veiné, Rance, vert Campan, rouge Languedoc, gris, noir; bronze doré : les murs et les voussures du Grand Escalier sont confiés à Le Brun et Van der Meulen qui y déploient, au milieu des perspectives et des trompe-l'œil, l'histoire de la première partie du règne de Louis XIV. Ci-dessus, deux éléments des *Quatre Parties du monde* : *l'Asie et l'Europe.*

Au sens strict du terme, les Grands Appartements sont constitués par les deux enfilades de salons dédiés aux planètes qui gravitent autour du soleil et aménagés à l'étage de l'enveloppe de Le Vau sous la direction de Le Brun, de 1671 à 1681; en fait, ils comprennent aussi la Grande Galerie. Ils sont conçus pour les réceptions officielles et pour honorer et éblouir les visiteurs étrangers.

Au midi, l'appartement de la Reine est, jusqu'à la Révolution, habité par Marie-Thérèse, Marie Leszczynska, Marie-Antoinette ou, le cas échéant, les dauphines. Au nord, celui du Roi est d'abord habité avant de n'être plus que d'apparat à partir de 1701 : il sert alors aux audiences et aux soirées d'«appartement» et est traversé chaque jour par le roi qui se rend à la chapelle; à moins que, comme Louis XV, celui-ci ne se fasse installer parfois un autel dans sa chambre.

L'ensemble, qui paraît si homogène aujourd'hui

Par l'escalier de la Reine (ci-dessus), on accède aux appartements royaux. La chambre du Roi (ci-contre à droite) est précédée d'antichambres où se trouvent ses gardes personnels et où l'on filtre les visiteurs. A partir de 1701, elle prend place au centre de la façade Est, à côté de l'ancien salon des Bassans. Elle est suivie d'un cabinet du Conseil et d'un cabinet des Perruques.

avec ses successions de plafonds à compartiments peints de sujets mythologiques s'est, en fait, construit peu à peu. Les salons de Vénus et de Diane, lambrissés de marbre, constituent le vestibule haut de l'escalier des Ambassadeurs dont ils prolongent le décor avec ses paysages en perspective. Ceux de Mars, Mercure et Apollon sont, jusqu'en 1682, la salle des Gardes, l'antichambre et la chambre du Roi, meublés de cabinets, de miroirs et, un temps, du fabuleux mobilier d'argent. A leurs murs, des tableaux de Rubens, Van Dyck, Guido Reni, Rigaud, Titien, Véronèse donnent un aperçu des collections royales.

Ci-dessous, un dessin pour le dallage du cabinet des bains et à droite, un projet de pavement pour le salon de Vénus.

Le bois de lit de sept pieds quatre pouces de large, sept pieds huit pouces de long sur douze pieds trois pouces de haut. Trois matelas de laine et futaine. Un traversin avec housse de taffetas blanc. Une couverture de ratine rouge. Une couverture d'ouate de satin de Chine doublée de taffetas blanc. Une couverture de Marseille piquée blanche.

Inventaire de la literie de Louis XIV

1678 : nouvelle campagne d'agrandissement

A la signature du traité de Nimègue succède une période de dix ans de paix. Louis XIV entreprend des travaux considérables pour faire rayonner son éclat à l'apogée de sa gloire.
A l'est, le salon de l'Abondance est aménagé en antichambre du cabinet des Raretés : Houasse y célèbre par un plafond moderne, d'une seule volée, le goût du roi pour ses collections. A l'ouest, les petites pièces de Jupiter, Saturne et Vénus, en angle sur la terrasse, sont supprimées par Jules Hardouin-Mansart et Le Brun ; elles sont remplacées par le salon de la Guerre et les premières travées de la galerie des Glaces. Le décor du cabinet de Jupiter est affecté à la salle des gardes de la Reine.

Sur la terrasse qui domine les jardins, Mansart et Le Brun édifient la galerie des Glaces

Les deux grands appartements du Roi et de la Reine communiquent par une terrasse peu étanche. Dès 1669, la recouvrir a semblé inévitable à Louis XIV, qui écrit : «La galerie sur la face doit avoir un salon dans le milieu, s'il est possible.» Flanquée à chacune de ses extrémités des salons de la Guerre et de la Paix, dus comme elle à Jules Hardouin-Mansart et à Charles Le Brun, elle est longue de 76 mètres et plaquée de marbres provenant de nouvelles carrières ouvertes sur le sol national. La Grande Galerie – ou galerie des Glaces – couronne, avec ses miroirs qui reflètent chacune de ses dix-sept fenêtres, la magnificence d'un appartement qui façonne et donne son nom même d'«appartement» aux réceptions qui y ont lieu. A sa voûte, Le Brun célèbre les

H ardouin-Mansart, soutenu par Mme de Montespan, prend la direction du chantier en 1678.

bienfaits de la première partie du règne – victoires à l'extérieur, reconstruction à l'intérieur –, tandis que ses antiques et ses tables de marbre surchargées d'objets précieux renforcent sa monumentalité.

La vie de la Cour se déroule face au parc; la vie du roi principalement dans l'ancien petit château, à l'est : elles se rejoignent dans les deux escaliers de marbre dont l'un est de cérémonie – celui des Ambassadeurs –, et l'autre dessert tout à la fois l'appartement de la Reine et celui du Roi et est l'un des lieux les plus fréquentés du château.

C'est en outre le temps où le château change de forme, s'agrandissant une nouvelle fois de deux longues ailes au midi (1678-1682) et au nord (1685-1689) qui serviront au logement de la famille royale.

P our servir la grandeur du royaume, Le Brun invente un nouvel ordre architectural, l'«ordre français», qui rivalise avec l'antique, mêlant dans chaque chapiteau l'acanthe et le Soleil-Apollon, la fleur de lis et le coq. Passage obligé des souverains se rendant chaque jour à la chapelle, la Grande Galerie est un lieu quotidien de bavardage et de sollicitation, ou de réceptions fastueuses : ainsi, en 1686, l'audience de l'ambassadeur du Siam qui, par déférence, quitte la galerie à reculons (ci-dessus).

Les cinq chapelles de Versailles

Au fur et à mesure des aménagements du château, cinq chapelles ont existé. En 1665, la première chapelle est située dans le petit pavillon d'angle nord-est; en 1672, elle occupe l'actuelle salle des gardes de la Reine et, en 1676, la grande salle des gardes du Roi (actuelle salle du Sacre); en 1682, on bénit celle, construite entre l'extrémité du grand appartement du Roi et la grotte de Thétis (actuel salon d'Hercule), qui sera le cadre de nombreuses cérémonies familiales.

Le 5 juin 1710, le cardinal de Noailles consacre la dernière, commencée par Mansart en 1689 et achevée par Robert de Cotte. Tournée à l'est vers la

••La bénédiction de la dernière chapelle par le cardinal de Noailles en présence de quatre-vingts prêtres fut fastueuse. [...] La procession du ciboire fut suivie par le duc et la duchesse de Bourgogne, les ducs de Bretagne et de Chartres, le comte de Charolais. Pour lui, le roi avait examiné la chapelle de haut en bas dès le 22 mai, et essayé l'acoustique en y faisant chanter un motet.**••**

Dangeau

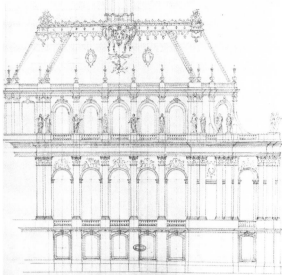

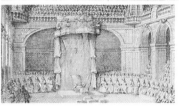

ville, sa nef communique avec les appartements du premier étage par la tribune royale. Côté jardin, elle est masquée par la façade du château.

Construite dans la tradition des chapelles palatines d'Aix ou de la Sainte-Chapelle parisienne, sa sobriété, sa clarté, sa voûte – de La Fosse, Jouvenet et Coypel – témoignent, comme à Paris aux Invalides, de l'équilibre qu'atteint l'art français à l'aube du XVIIIᵉ siècle.

D e la messe quotidienne aux cérémonies familiales ou officielles, la chapelle occupe, dans la vie du roi et celle du château, une place essentielle. Page de gauche en haut, dans la quatrième chapelle bénie en 1682 (et transformée plus tard en salon d'Hercule), le roi donne à Dangeau la grande maîtrise de l'ordre de Notre-Dame-du-Mont-Carmel et de celui de Saint-Lazare unis et reçoit son serment. En bas, un projet de pavage de 1705 ; ci-dessus, la chapelle vue de la cour haute.

Le Nôtre conçoit un grand parc ouvert où le regard est guidé vers l'horizon à travers des transitions successives

Depuis la terrasse où les vases de la Guerre et de la Paix ponctuent les appartements, bosquets, fontaines et ornementation sculptée maîtrisent la nature, rappellent l'Italie et célèbrent le règne glorieux où la magnificence s'épure.

Aux parterres de broderie qui entouraient le château de Louis XIII, Le Nôtre substitue, dès 1663, un grand parc ouvert : autour du château, les éléments les plus élaborés, plus loin les grands effets d'eau, enfin les perspectives s'enfonçant dans la nature. L'ensemble s'organise autour de deux grands axes : l'un qui longe le château, l'autre, perpendiculaire, qui s'éloigne vers l'horizon dans la perspective du Grand Canal.

Dans l'axe principal est-ouest, le bassin chantourné de Sibrayque est remplacé par les deux Parterres d'eau de Mansart (1685) peuplés des statues des fleuves et des rivières de France dus aux Keller (1685-1694). Elles succèdent aux vingt-huit statues de la «grande commande» de 1674 dessinées par Le Brun et distribuées alors sur le parterre du Nord. Plus avant, le bassin de Latone est rehaussé et retourné par Mansart (1686); l'Allée royale, ou Tapis vert, est élargie (1669) et plantée de vases et de statues exécutés par les élèves de l'Académie de France à Rome; le groupe d'Apollon sur son char dessiné par Le Brun et sculpté par Tuby est installé face au château (1684). Enfin le Grand Canal, long de 1520 mètres et large de 120, doté d'une flottille composée de brigantins, felouques, galiotes et chaloupes, est agrandi d'un bras transversal allant de la Ménagerie à Trianon (1670).

Au sud de cet axe, le parterre du Midi devient un parterre à fleurs. Etendu aux dépens d'un «bois» et de l'orangerie de Le Vau engloutie, il surplombe celle de Mansart édifiée plus au sud (1684-1686).

Un immense appétit de merveilles : parterres dessinés en broderie, arbres taillés. Et l'art y a sa place : les dessins de Le Brun pour les fontaines rappellent les grandes pièces d'orfèvrerie qu'il crée pour la manufacture royale des Gobelins, dont il est le directeur.

Le Nôtre, qui ordonne la nature en symétrie, est un ornemaniste. Il a étudié la peinture chez Simon Vouet : d'où l'aspect équilibré, harmonieux, ornemental de ses passages. Centré sur la Pyramide, le parterre du Nord (ci-contre) se termine à l'ouest par de hautes frondaisons qui répondent à la façade du château.

Non loin du Labyrinthe, la salle de Bal est dotée par
Le Nôtre de rocailles venues de Madagascar et de
plombs dorés, cadre pittoresque, propice à la danse
et aux illuminations. Le Labyrinthe est peuplé
d'animaux des *Fables* d'Esope en plomb,
peints au naturel ; la galerie des Antiques,
trop fragile, sera remplacée dès 1704 par
une salle des Marronniers ; à la
Colonnade (1684), Mansart imbrique,
dans la verdure, des arcades de marbres
polychromes sculptées par
Coysevox avec, bientôt,
l'*Enlèvement de Proserpine* de
Girardon (1699). Au nord du
grand axe, les fontaines sont le
plus souvent dotées d'un décor
marin ; la Pyramide de Girardon
(1669-1672), extravagant surtout
de crustacés, côtoie la Cascade
dont le bain des Nymphes n'est que
sérénité ; entre les Trois-Fontaines et l'Arc
de triomphe, l'Allée d'eau, peuplée de
marmousets dessinés par Le Brun, conduit
au Dragon des Marsy centré sur le
vertugadin du bassin de Neptune
(1678-1682). Cette partie septentrionale des jardins
semble le domaine de Le Nôtre jusqu'au bosquet des
Dômes modifié par Mansart en 1677.

241

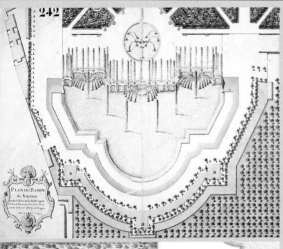

Le Nôtre, architecte de plein air

P lan d'ensemble
rigoureux, variété
pittoresque dans le
détail. Le promeneur
évolue le long d'allées
bordées de palissades.
Créé en 1673, le
Labyrinthe, «où il était
presque impossible de ne

pas s'égarer», était
décoré de trente-neuf
fontaines racontant
les *Fables* d'Esope :
chacune était
complétée par une
morale de Benserade
destinée à l'éducation
du dauphin, alors
confiée à Bossuet.
Page de gauche,
perspective générale du
domaine dessiné par Le
Nôtre, puis, de haut en
bas, le Labyrinthe et le
bosquet de l'Etoile.
Page de droite, le bassin
de Neptune; en bas la
Colonnade et la galerie
des Antiques.

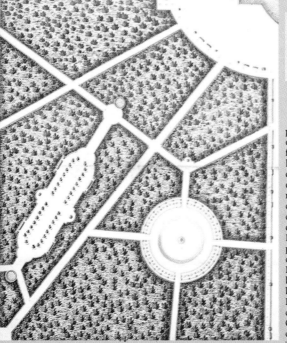

Des refuges de fantaisie et de fraîcheur

Le miniaturiste Jean Cotelle reçoit de Louis XIV l'une des commandes les plus précieuses : celle des vues des jardins. Sans lui, que saurions-nous de ces merveilles ? Chaque bosquet apparaît comme une pièce autonome pourvue d'un esprit propre. Créée en 1671, l'Ile royale (à gauche, remplacée en 1816 par le Jardin du Roi) est un large plan bordé de statues et d'arbres, empruntant le tracé du ru de Galie, écoulant les eaux de l'Etang puant vers le bassin d'Apollon. La salle du Conseil, ou des Festins (transformée en 1705 en bassin de l'Obélisque), est une île quadrilobée comptant quatre bassins et reliée à l'extérieur par deux petits ponts. Variété des formes, des jets, des arbres : tel est le jardin de Le Nôtre.

Le Grand Canal

En 1674, la République de Venise offre deux gondoles au roi. En 1677, le marquis de Langeron, inspecteur général de la Flotte, fait construire huit chaloupes. En 1682, la flottille s'enrichit de modèles réduits et d'une galère pour laquelle les Keller fondent de petits canons. Mariniers de Dunkerque, charpentiers du Havre vivent à la «Petite Venise»en compagnie de gondoliers vénitiens : les Juste, Palmarini, Mazzagathy. L'été en bateau, l'hiver en traîneau, la famille royale fréquente le Grand Canal, l'emprunte pour se rendre à Trianon ou à la Ménagerie. Cet immense plan d'eau fut fut particulièrement animé lorsque, illuminé et bordé de figures en «transparent», il fut le cadre de la fête de 1674. A droite, le bosquet des Trois-Fontaines dont Piganiol disait la variété des jeux d'eau : «C'est celui de tous qui doit le plus à l'art. Il en a fallu beaucoup pour tirer parti de l'irrégularité du terrain.»

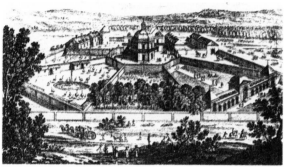

De part et d'autre du Grand Canal, la Ménagerie et Trianon

Au sud-ouest du château, le long de la route de Saint-Cyr, Le Vau construit en 1662 une ménagerie pour les animaux rares et exotiques. En 1698, Louis XIV l'offre à la jeune duchesse de Bourgogne – épouse de l'aîné de ses petits-fils –, et demande à cette occasion à J. Hardouin-Mansart d'en renouveler la décoration intérieure.

Au nord du Grand Canal, en quasi-pendant de la Ménagerie, Louis XIV confie à Le Vau la transformation du hameau de Trianon en une résidence de plaisance. En 1670, François d'Orbay construit cinq pavillons recouverts de carreaux de faïence : c'est le Trianon de porcelaine qui sera

Un octogone chapeauté d'un dôme le prolongeant, huit cours destinées aux autruches, éléphants et autres gazelles ; à côté, une laiterie, un chenil, un poulailler. La Ménagerie est l'une de ces fort luxueuses retombées exotiques du goût pour les sciences naturelles et pour l'Orient. C'est là, ou au Jardin royal de Paris, que Nicolas Robert trouve ses modèles pour les vingt-quatre vélins – dont cette *Damoiselle de Turquie* – qu'il doit fournir chaque année au roi pour un salaire de 600 livres.

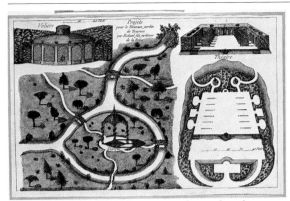

« N' ayant été commencé qu'à la fin de l'Hyver (1670), il se trouva fait au printemps comme s'il fust sorty de terre avec ses fleurs. » La féerie est partout : façades aux couleurs des carreaux de Delft blanc et bleu; pavillons «pour les confitures», «pour les entremets», «pour les potages», «pour le buffet»; jardins de l'impossible, où les senteurs obtenues par Le Bouteux sont parfois si fortes que la Cour s'en éloigne. Le Trianon de porcelaine fait l'admiration de tous. Mais l'ensemble est trop fragile, les carreaux se décollent... Il n'aura qu'une existence éphémère.

remplacé en 1687 par le Trianon de marbre de Jules Hardouin-Mansart. Du côté de la cour, deux corps de bâtiments sont reliés par un péristyle ouvert sur les jardins. Du côté des jardins, une aile avance vers le Grand Canal; une autre sera construite en 1705, vers les frondaisons, pour loger les courtisans.

A sa mort, en 1715, Louis XIV laisse un Versailles déjà achevé et modifié plusieurs fois, grandiose, mais agrémenté de retraites vouées à l'intimité ou au confort.

Le Grand Trianon, construit en 1687, comporte un rez-de-chaussée couvert d'un toit plat dissimulé par une balustrade. Ses façades sont rythmées par des pilastres ioniques en marbre du Languedoc, et les cintres des portes-fenêtres sont enrichis d'une fine décoration sculptée où se mêlent fleurs et instruments de musique. A gauche du péristyle, l'appartement du roi est terminé en 1692, avec, en angle, un somptueux cabinet du conseil, décoré de glaces. A droite, l'enfilade sert à la musique, aux jeux, aux réceptions. Au fond, s'enfonce une grande galerie décorée de vues des jardins dues en particulier à Cotelle. Le Nôtre dessine le jardin des Sources doté de canaux «qui vont serpentant sans ordre et tournant dans les places vides autour des arbres avec des jets d'eau inégalement placés» fort appréciés des dames. Louis XV, après 1750, construit ici une ménagerie et un jardin botanique.

Louis XV se consacre surtout aux aménagements plus confortables des appartements

Au somptueux appartement des Bains de Louis XIV tout lambrissé de marbre – et déjà fort modifié – est substitué, à l'étage, un ensemble plus petit, raffiné, en boiseries blanc et or, doté d'eau chaude et de baignoires. A l'attique, salons, petite galerie décorée de «chasses exotiques», bibliothèques, salles à manger, cabinets de géographie ou de physique. Ces pièces vont souvent changer de destination sous Louis XV et Louis XVI, accordées parfois à une favorite – Mmes de Mailly, Châteauroux, Pompadour ou Du Barry –, ou un ministre – c'est le cas de Maurepas. Autour des cours intérieures s'empilent ainsi étages et entresols reliés par de nombreux escaliers : on est loin alors de l'ordonnance des Grands Appartements, et plus encore de nos exigences modernes de sécurité, mais que ne ferait-on pas pour un logement à Versailles! Et ce n'est pas en vain que surveillance et installations sont établies pour remédier aux incendies.

Louis XV fait réaménager ses appartements intérieurs, installés dès 1684 par Louis XIV, et les pièces changent d'affectation. Au-dessus, il installe des petits appartements qui donnent sur la cour de Marbre, sur la cour des Cerfs et celle du Roi. Il y a là une galerie de géographie et plusieurs bibliothèques. A la mort du dauphin, Louis XV y installera la seconde dauphine, Marie-Josèphe de Saxe.

« L orsque je me lève avant que l'on soit entré, j'allume mon feu moi-même, et je n'ai besoin d'appeler personne [...] il faut laisser dormir ces pauvres gens, je les en empêche assez souvent»; Louis XV se plie moins volontiers que son aïeul à l'étiquette et ordonne la pose d'une seconde cheminée dans sa chambre. Dès 1738, il n'utilise plus la chambre de Louis XIV que pour les cérémonies du lever et du coucher.

Quelques destructions sont effectuées à contrecœur et lentement

Louis XV répugne à amputer l'œuvre de son aïeul. Les pièces de réception subsistent, galerie des Glaces et Grands Appartements. Mais l'escalier des Ambassadeurs, en mauvais état et de moins en

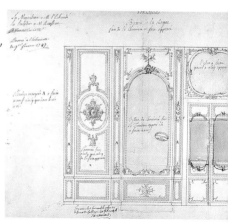

moins utilisé, est détruit en
1752, une fois les peintures de
Le Brun et de Van der Meulen
transposées. La Petite Galerie
de Mignard, l'appartement
des Bains et celui de
Monseigneur sont grignotés
pour la commodité du
dauphin, de la dauphine
ou de Mesdames, filles du roi.

Les chantiers de Louis XIV sont menés à terme, mais les impératifs financiers empêchent la réalisation du Grand Projet de Gabriel

La chapelle est terminée en 1710. Vassé, Verberckt
et Le Moyne achèvent en 1736 le salon d'Hercule,
sorte de synthèse entre la somptuosité du grand
siècle et la grâce du XVIIIe. Bouchardon, Adam et
Lemoine terminent le bassin de Neptune.

L'Opéra voit enfin le jour. Après le manège de la
Petite Écurie et la salle de comédie de la cour des
Princes, le théâtre que l'architecte Gabriel entreprend
dès 1763 à l'extrémité de l'aile du nord – à l'endroit
même choisi par Louis XIV – renoue par son style
avec le Versailles de Mansart. Pajou, Delanois et les
Rousseau animent la salle de figures, reliefs et
miroirs. Arnoult installe un mécanisme qui élève le
plancher de la salle, nivelant les deux parties et la
tran ormant en salle de bal : les fêtes du mariage du
dauphin avec Marie-Antoinette
(1770) seront parmi les plus brillantes
de toute l'histoire de Versailles dans
«la plus belle salle qu'on eût jamais
vue en Europe» (duc de Croÿ).

Comme Louis XIV, Louis XV est
soumis à la pression des architectes,
soucieux d'harmoniser les façades.
Mais il résiste, n'autorisant Gabriel
à se lancer dans une partie de son
Grand Projet qu'en 1771 : celui-ci
reconstruit l'aile nord, proche de la
chapelle, dans un bel appareil et dans le style noble
et antique qu'il vient de maîtriser au Petit Trianon.

« Monsieur de Cotte
me disait avant-
hier que les nids à rats
qu'on faisait coûtaient
plus cher que les grands
bâtiments de Louis
XIV.» Versailles se
morcelle en petits
appartements où les
courtisans se tassent,
au mépris des règles de
sécurité. Et chacun
d'améliorer son
logement avec un
balcon, tel le comte de
Grammont, ou la
fameuse chaise volante
de Mme de Pompadour.

Elevation d'une partie de l'aile du Nord, du coté des petites Cours, avec les differentes Galleries communicantes a la Salle.

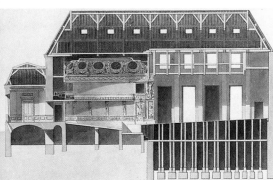

En 1685, Vigarani fournit coupes et plans pour une salle de ballets. Gabriel, dessinateur de l'actuelle place de la Concorde, termine l'Opéra, qui se révèle fort coûteux d'utilisation, ce qui oblige l'architecte à installer une petite salle de théâtre dans la nouvelle aile du Midi.

Face à Piccini et Méhul, Marie-Antoinette impose Gluck : «C'est incroyable, on se divise, on s'attaque comme s'il s'agissait d'une affaire de religion», écrit-elle.

Le Petit Trianon et le Hameau

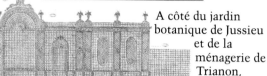

A côté du jardin botanique de Jussieu et de la ménagerie de Trianon, Louis XV fait bâtir par Gabriel en 1750 une salle de compagnie et de jeu, le Pavillon français puis, en 1759, le Petit Trianon, petit château de plaisance destiné à Mme de Pompadour. Inachevé à la mort de la marquise, il est inauguré par Mme Du Barry en 1770. Elégant et sobre, décoré de motifs repris sur chaque façade, le Petit Trianon est considéré comme le chef-d'œuvre de Gabriel.

En 1774, Louis XVI en fait don à Marie-Antoinette qui demande à Richard et au comte de Caraman un profond remaniement des jardins. Les plantes rares sont transportées au Jardin des Plantes de Paris tandis que les pelouses sont plantées d'arbres exotiques. Juché sur un monticule, un belvédère surplombe le lac. Enfin Marie-Antoinette, comme le prince de Condé à Chantilly, veut son

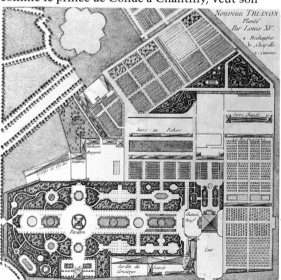

Nouveau TRIANON
Planté
Par Louis XV.
a. Rocher &c.
b. Chapelle.
c. Cuisine.

Coupe du meme Salon

Le Pavillon français, ouvert sur les jardins, halte pour le repos et la musique.

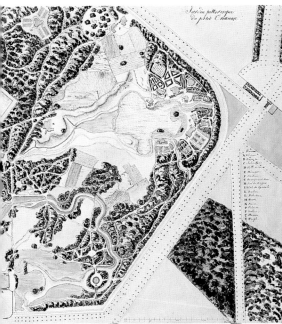

Jardin pittoresque du petit Trianon.

En 1749, Louis XV décide l'aménagement de ce qui deviendra le Petit Trianon : nouvelle ménagerie, Jardin et Pavillon français, pavillon du Treillage, Jardin botanique où l'on cultive le café, la figue ou l'ananas, château de Gabriel enfin, en 1761. Marie-Antoinette (à gauche, avec ses enfants) y ajoutera un théâtre et des édifices néo-classiques comme un belvédère et un temple de l'Amour.

hameau. Laiterie, colombier, moulin, maison de la Reine... constituent une vraie petite exploitation agricole au temps de la redécouverte rousseauiste de la nature. Ce sera l'ultime étape de la construction du domaine royal.

A Trianon, l'étiquette fait place à la simplicité. C'est là que Mme Vigée Lebrun retrouve Marie-Antoinette dont elle prépare le grand portrait, et qui la décrit comme «grande, admirablement faite, ses bras étaient superbes, ses mains petites, parfaites de forme [...]; elle tenait de sa famille cet ovale long et étroit particulier à la nation autrichienne. Elle n'avait point de grands yeux; leur couleur était presque bleue.»

«Le Roi y venait tous les matins déjeuner avec la Reine, retournait à Versailles faire son lever, revenait à deux heures dîner, puis s'en allait au jardin lire dans un bosquet, [...] ou s'en retournait à Versailles pour ses affaires ou ses conseils et revenait souper à neuf heures.»

Vue intérieure de la Grotte

«Malgré tout le temps qu'il donnait à ses plaisirs, le Roi ne laissait pas que de beaucoup travailler.» Le métier de roi implique un travail acharné. Si fêtes et cérémonies, données dans la ville ou ses grands appartements, sont aussi sa façon de gouverner, le souverain se réserve, ainsi qu'à sa famille, des appartements intérieurs et des cabinets plus intimes où l'étiquette se fait plus souple.

CHAPITRE III
LA VIE CÔTÉ COUR, CÔTÉ JARDIN

"Ne quittez jamais vos affaires pour votre plaisir; mais faites-vous une sorte de règle qui vous donne des temps de liberté et de divertissement. Il n'y en a guère de plus innocent que la chasse et le goût de quelque maison de campagne, pourvu que vous n'y fassiez pas trop de dépense."
Louis XIV
au duc d'Anjou

Autour du château, des bâtiments au service du roi, et une ville fondée de par sa volonté

En 1671, du camp de Dunkerque, Louis XIV signe l'édit de fondation de Versailles, par lequel il fait «don des places à toutes personnes qui voudront bâtir depuis la Pompe dudit Versailles jusqu'à la ferme de Clagny [...] à la charge d'entretenir les bâtiments en l'état et de même symétrie». Voilà comment naît, l'urbanisme

d'une ville construite autour d'une patte-d'oie. La noblesse, pour tenir son rôle à la Cour, y établit sa résidence et s'y fait construire des hôtels.

Il ne subsiste de cette époque que les monuments officiels créés pour le service du roi et de son

Une ville en harmonie avec son château. Face au palais, les écuries en arc de cercle marquent le départ de la patte-d'oie.

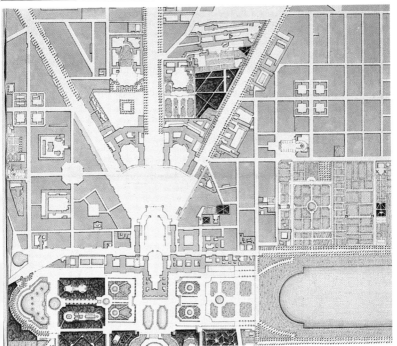

gouvernement, pratiquement tous dus à Mansart. Face au château, les Écuries, élevées de 1679 à 1682, la grande réservée aux chevaux de main, la petite aux bêtes de trait et aux voitures : carrousels et fêtes y sont organisés. Plus proche du château, le Grand Commun abrite paneterie, échansonnerie, cuisine pour tout ce qui a «bouche à la cour», hormis le roi – dont la Bouche «n'est jamais hors du lieu où loge Sa Majesté» –, et la reine, le dauphin et la dauphine, dont la Bouche est installée au rez-de-chaussée de l'aile du Midi. Vers le sud, un grand potager est conquis sur la campagne, où La Quintinie fait des merveilles : asperges et petits pois à Noël, fraises à Pâques, figues même, qui font dire à Perrault que «l'hiver, au milieu des fraises et des roses, il aurait cru n'être plus au nombre des saisons».

La paroisse Notre-Dame confiée à un lazariste, qui dut bien résonner de quelque grincement entre

Au cœur même de la ville, le château reste isolé : est-ce dû à l'immensité de la place d'Armes, qui le transforme en forteresse imaginaire? Les hautes façades des deux ailes forment une limite réelle entre le château et la ville dont les trois grandes avenues semblent impuissantes à pénétrer jusqu'aux cours. Le développement de Versailles ne va pas sans une spéculation immobilière importante, car beaucoup des courtisans louent un logement en ville.

Bossuet et Fénelon, enregistre les actes religieux de la famille royale. Moins orgueilleux, le pavillon des sources du Roi montre, au temps de la somptuosité des Grands Appartements, l'attachement à l'architecture royale traditionnelle de brique, pierre et ardoise.

Sous Louis XV, l'urbanisme se relâche et Louis XVI devra même signer, dès 1779, un règlement fixant la hauteur des maisons à huit toises. Au sud de la patte-d'oie, le quartier du parc aux Cerfs devient la réplique

du quartier de Notre-Dame, avec le marché de Prieur et l'église Saint-Louis, qui accueillera en 1789 la procession des Etats généraux partie de Notre-Dame. Ermitage et hôtel de Mme de Pompadour proches du parc, maison des musiciens italiens de Louis XV, théâtre Montansier (1777) côtoient couvents et établissements de la famille royale ou hôtels de la

Moins une ville qu'un agrégat de quartiers dont Péguy s'amusa : «Dans deux mille ans, les inscriptions "Rive droite, Rive gauche" feront supposer quelque passage de la Seine.» Deux quartiers symétriques, mais indépendants jusqu'à nos jours : au nord, celui de l'église Notre-Dame édifiée par Mansart en1686 (en haut); au sud, celui de l'église Saint-Louis construite par Mansart de Sagonne en 1754 (en bas).

noblesse largement étalés dans de vastes parcs.

Il faut surtout en retenir le somptueux hôtel de la Guerre et celui des Affaires étrangères, de la Marine et des Colonies, dont l'ingénieur Berthier (père du maréchal d'Empire) fait éprouver les voûtes coupe-feu devant le roi en 1762. De l'empereur Joseph II au duc de Croÿ, qui n'a pas célébré la beauté de ce lieu fonctionnel ?

Progressivement, la Cour perd son attrait les courtisans retrouvent le chemin de la capitale et désertent Versailles

A la fin du règne de Louis XIV, Versailles est endeuillé par les guerres et les nombreux décès survenus dans la famille royale. Sous l'influence de Mme de Maintenon, l'ambiance y devient dévote et attire moins les courtisans. Plus tard, la timidité de Louis XV, son peu de goût pour la vie publique et ses voyages fréquents affaiblissent l'éclat de la Cour. La noblesse ne la déserte pas car les charges et la faveur du roi l'y

« Aux Affaires étrangères (ci-dessus), sur chaque armoire est écrit le nom du pays que concernent les pièces qu'elle renferme. Et dans chaque salon, un vaste tuyau en forme de colonne, en bronze or moulu, sert à aérer les papiers. En bref, c'est une magnificence utile. » Ce bâtiment, ainsi décrit par Walpole, est un modèle de sécurité : en 1762, on bourre les combles de paille qu'on incendie et, lorsque preuve est faite que le feu ne s'étend pas, on hisse, en quatre minutes, les gardes invalides chargés de son extinction.

retiennent encore. Mais elle abandonne de plus en plus Versailles. Plutôt que de construire dans la ville, les nobles sollicitent au château même un logement qui leur permette d'approcher le roi sans rompre avec la capitale qui se couvre alors des hôtels construits par Lassurance, Robert de Cotte, Bruant ou Boffrand, autour de la vie brillante entraînée par les Orléans.

Paris redevient la capitale des plaisirs. Marie-Antoinette ne se livre-t-elle pas à quelques escapades parisiennes? Ses dames d'honneur semblent souvent n'être à la Cour que pendant leur service : Versailles est déserté. «Les femmes de Paris appelées aux bals de la reine arrivent à Versailles pour y rester en grand habit jusqu'à dix heures [...] et revenir ensuite pendant la nuit chercher leur souper à Paris; et comme ce tour de fatigue ne leur produit, d'ailleurs, dans le courant, aucune part aux distinctions des soupers de cabinets, les femmes susdites sont fort dégoûtées et se dispensent autant qu'elles peuvent des bals de Versailles» (Mercy, 1777).

La Révolution passée, il faudra la Commune, le procès de Bazaine puis la réunion à Versailles des Assemblées en congrès pour que la ville retrouve quelque existence nationale.

Hors de son château, le roi se montre peu, hormis pour la guérison des écrouelles

«Le Roi te touche, Dieu te guérit» : tantôt au château, tantôt à la paroisse, le roi, après avoir communié, impose les mains à quelques centaines de malades, parmi lesquels figurent Italiens, Espagnols, Portugais, Allemands ou Suisses, dont les princes ne sont pas reconnus thaumaturges. Mais les autres occasions pour le souverain de rencontrer le peuple de Versailles sont rares.

En 1744, les bourgeois de la ville dressent bien un arc de triomphe entre les deux écuries pour accueillir le roi, après la maladie de Metz; mais en 1770, au mariage du dauphin, Louis XV ne se mêle pas à la foule venue admirer l'illumination des jardins, et en 1789, la procession des Etats généraux, conduite de Notre-Dame à Saint-Louis, semble quelque peu plaquée sur un décor.

«Il me parut en se déshabillant un homme mort. Jamais le dépérissement d'un corps vigoureux n'est venu avec une précipitation semblable» rapporte Dangeau. Le lendemain, 13 août 1715, Louis XIV reçoit l'ambassadeur de Perse. La quinzaine qui suit n'est que douleur, médecine, travail, musique et prière; lui, fait ses recommandations au dauphin et à la Cour et meurt lucidement.

A l'intérieur du château, le roi de France naît, vit et meurt en public, et la vie quotidienne est un opéra parfaitement orchestré

En arrivant au château, le roi fait halte parmi la foule massée sur la place d'Armes.

«Madame, je veux qu'il y ait "appartement" et que vous y dansiez. Nous ne sommes pas comme des particuliers, nous nous devons tout entiers au public. Allez et faites la chose de bonne grâce.»

Les appartements du roi sont ouverts à tous et aux ouvriers; il lui faut donc imposer une étiquette si minutieuse que sa propre vie devient une «mécanique» : «On n'avait qu'à savoir quel jour, quelle heure il était pour savoir ce que le roi faisait», dira Saint-Simon.

De huit à neuf heures, petit et grand levers : médecin et chirurgien, grandes-entrées (membres de la famille royale et grands officiers) puis petites-entrées assistent à la prière, à la toilette et à l'habillement

du roi. Celui-ci passe ensuite dans son cabinet pour
une première séance de travail.

A dix heures, il se rend à la chapelle, traversant le
Grand Appartement, assistant à la messe depuis la
tribune, à genoux, récitant son chapelet, ne
descendant que pour les cérémonies familiales et les
fêtes, où il communie. A onze heures, il tient un
conseil spécialisé. A treize heures, il dîne au petit ou
très petit couvert, dans sa chambre, en présence de
quelques princes du sang et parfois en compagnie
de Monsieur qui reste debout.

Le grand animalier
J.-B. Oudry réalisa
pour Louis XV une
série de «chasses
royales». Louis XVI les
fit copier par la
manufacture de Sèvres
et «actualiser», se
faisant représenter lui-
même à la place de son
grand-père.

E n 1672, Louis XIV décide d'occuper quelque temps la fonction de chancelier, afin de «connaître les abus» possibles : c'est le sujet de ce tableau campé dans un décor imaginaire, mais qui montre l'atmosphère des séances du travail royal. A gauche du roi, Pélisson, maître des requêtes; au bout de la table, le grand audiencier, le garde des rôles et le chauffe-cire.

E n 1669 la veuve du poète Scarron se voit confier l'éducation des enfants de Mme de Montespan et de Louis XIV. Devenue Mme de Maintenon, elle épouse le roi en 1683. Sous son influence, il devient dévot : «Il parla fort sur les courtisans qui ne faisaient point leurs Pâques.»

De quatorze à dix-sept heures il se promène dans les jardins, à Trianon ou à Marly, en roulette s'il souffre de la goutte, et toujours en compagnie restreinte qu'il invite à la collation; sinon il chasse le cerf au tir ou à courre (en voiture depuis qu'il s'est cassé le bras «en courant à Fontainebleau, aussitôt après la mort de la reine»). Au retour, vers dix-sept heures, le roi assiste à un Salut du Saint Sacrement à la chapelle avant de regagner son cabinet ou l'appartement de Mme de Maintenon pour une nouvelle séance de travail.

Les lundis, mercredis et jeudis, de dix-neuf à vingt-deux heures, il y a «appartement»

Sont donnés jeu, danse, musique, gourmandises et parfois la comédie; les autres jours, le roi se retire chez Mme de Maintenon.

A vingt-deux heures, c'est le grand couvert, dans l'antichambre de la Reine ou la première antichambre du Roi; la famille royale y est parfois conviée et les courtisans y assistent, nombreux, accompagnés par les «vingt-quatre violons du Roi» dirigés par Lully. Puis, c'est pour le monarque un temps de détente dans son cabinet. «Un peu moins d'une heure avec ses enfants légitimes et bâtards, ses petits-enfants légitimes et bâtards, le roi dans un fauteuil, Monsieur dans un autre, [...] Monseigneur debout ainsi que tous les autres princes, et les princesses sur des tabourets.»

Le «cadenas du Roi» est un coffret d'argent où sont enfermés, par sécurité, les couteaux, cuillers et épices destinés à son usage personnel. Page de gauche, la musique, le jeu et les délices des soirées d'appartement.

Vers vingt-trois heures trente, le roi passe dans sa chambre, fait sa prière, se déshabille : au rebours du matin ont lieu les grand et petit couchers avant qu'il ne donne à

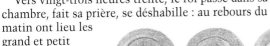

son officier des gardes le mot de passe pour la nuit.
Journée somme toute équilibrée, mais lourde, où le
roi n'a pas une minute à lui, où sa famille ne le voit
guère que dans les «entre-temps», et qui fait dire à
Mᵐᵉ de Maintenon : «Il n'y a point dans les couvents
d'austérités pareilles à celles auxquelles l'étiquette de
la Cour assujettit les grands.»

Ce cérémonial, instauré par Louis XIV, sera suivi

Cette gravure de l'almanach royal de 1667 montre Louis XIV au milieu des dames de la Cour : il s'agit plus de propagande que de témoignage.

par ses successeurs, mais il perdra peu à peu de son
sens. Louis XV, préférant le charme de la vie privée
aux rigueurs de l'étiquette, instituera les «petits
soupers» auxquels quelques-uns, soigneusement
choisis et toujours jalousés, seront conviés.

«Ah! que le monarque les tient bien tous enchaînés à courte laisse!» : la noblesse domestiquée

Si le grand escalier des Ambassadeurs n'est pas d'un
usage courant, le Grand Appartement et la galerie des
Glaces sont le théâtre quotidien d'une Cour guettant
le passage du roi, où chacun doit toujours être prêt à
se faire voir sous peine d'«être malencontreusement
repéré comme absent», où l'on quête une faveur ou
un service, où l'on tente d'accrocher un regard que le
roi sait vendre à merveille. Comme le souligne
Louis XIV : «C'est d'ailleurs un des plus visibles
effets de notre puissance que de donner quand il nous
plaît un prix infini à ce qui de soi-même n'est rien.»
Véritable façon de gouverner, de discipliner ses
courtisans, en «déclenchant des énergies sans

commune mesure avec l'effort déployé par lui».

Et si Louis XIV en use avec une rare intelligence, ses successeurs sauront exploiter le trésor qu'il leur aura légué, ainsi que l'exprime Montesquieu dans les *Lettres persanes* : Le roi de France «n'a point de mines d'or comme le roi d'Espagne, son voisin; mais il a plus de richesses que lui, parce qu'il les tire de la vanité de ses sujets, plus inépuisable que les mines.»

L ieu de fête, la galerie des Glaces est le théâtre du remariage du dauphin avec Marie-Josèphe de Saxe. Une partie de la Cour est rassemblée autour de la table de jeu du roi. Il préside avec les jeunes mariés.

Le bal des Ifs

L e 25 février 1745, il
fait froid à
Versailles. On marie le
dauphin. Un grand bal
masqué est organisé
dans la Grande Galerie :
Arlequins, Turcs,
Arméniens, sauvages,
médecins à haute
perruque et diables
accompagnent les
époux costumés en
jardinier et
bouquetière. Bientôt
apparaissent huit ifs
taillés, semblant sortir
des jardins : Louis XV
est parmi eux. Toutes
les beautés
parisiennnes se sont
donné rendez-vous
pour le consoler de la
perte de Mme de
Châteauroux. De fait,
c'est ce soir-là que se
décide le sort de
Mme Le Normant
d'Etioles, connue
bientôt comme
marquise de
Pompadour et célébrée
par Voltaire :
«Mais l'if est
aujourd'hui l'arbre que
je révère
Et, depuis quelque
temps, j'en fais bien
plus de cas
Que des lauriers
sanglants.»

L'étincelant et le sonore

L oger sa Cour ne suffit pas, il faut aussi l'occuper et l'amuser. Fêtes et divertissements se succèdent à Versailles. Le carrousel de 1685 a lieu le 4 juin dans la Grande Ecurie (en haut). C'est, comme toujours, l'occasion de costumes flamboyants et de savantes figures équestres. S'y distinguent Monseigneur, le dauphin et le duc de Bourbon; ils caracolent dans la cour du château entre les écuries, entrent dans le manège où ils font «la comparse trouvée fort belle et fort bien ordonnée, aussi bien que la marche».

Les fêtes du mariage de Marie-Antoinette et du dauphin (en bas) durent neuf jours. La fête de nuit y est éblouissante et ouverte au peuple : feu d'artifice, éclairage du parc par 160 000 lampions, bal dans tous les bosquets.

Réceptions, audiences et ambassades

Mais la somptuosité de Versailles, celle qui va frapper l'Europe, c'est là aussi qu'elle se révèle, se perfectionne. Assis sur son trône dans le salon d'Apollon, ou dans la galerie des Glaces, au bout, près du salon de la Paix, très rarement dans sa chambre, le roi reçoit en audience les ambassades les plus extraordinaires – moscovite, algéroise, génoise, siamoise, persane ou marocaine –, qui sont autant de manifestations de la splendeur et de la grandeur du Roi Très-Chrétien. Le plus magnifique souvenir qui soit parvenu de la venue en France de Mehemet Effendi est l'extraordinaire paire de tableaux de Parrocel le représentant aux Tuileries. Les réceptions de Franklin par Louis XVI, pourtant riches d'avenir, n'ont pas suscité de commande de cette ampleur.

En 1715, Louis XIV reçoit une ambassade de Perse. Saint-Simon rapporte l'événement : Le Roi «avoit un habit d'étoffe or et noir [...] sur habit étroit garni des plus beaux diamants de la couronne ; il y en avoit pour douze millions cinq cent mille livres ; il ployoit sous le poids et parut fort cassé, maigri et de très méchant visage [...]. La duchesse de Ventadour étoit debout à la droite du Roi, tenant le Roi d'aujourd'hui par la lisière.»

A côté du Versailles officiel, s'établit un Versailles privé, voire intime

Le «salon où le Roi s'habille» – qui devient la Grande Chambre en 1701 – et le cabinet du Roi ont un caractère semi-privé. N'y pénètre que l'élu. S'il est membre de la famille royale, point ne lui est besoin de faire antichambre : il passe par les «derrières», pièces privées du roi. Parfois, celui-ci fait dresser un lit de repos en son cabinet où il reçoit régulièrement ses ministres et secrétaires d'Etat, ou associe au «travail du Roi», l'archevêque de Paris, son confesseur ou tel courtisan qu'il tient à traiter en particulier. C'est ainsi que le 4 janvier 1710, Saint-Simon trouve «le Roi seul, et assis sur le bas bout de la table du Conseil, qui était sa façon de faire quand il voulait parler à quelqu'un à son aise et à loisir». Car Louis XIV n'est pas un sphinx inaccessible, mais un être dont chacun s'accorde à trouver qu'il est fort poli en son particulier, aimable, capable de bien des délicatesses : le maréchal de Berwick et Racine remarquent une réelle gentillesse qu'il réserve tout particulièrement à ses serviteurs et ses proches devenus ses amis : «Il n'y avait de fier en lui que l'apparence.»

Les chroniqueurs notent la même gentillesse chez Louis XV qui, un matin de sa douzième année, tance gentiment un maître de la garde-robe appuyé à la balustrade de la Grande Chambre : «Il faut que

Pour moderniser la Russie, Pierre le Grand se tourne vers l'Europe occidentale.

Certaines gravures de genre ont pu laisser de Louis XV l'image d'un amuseur. Ecoutons plutôt le duc de Croÿ : «On n'était servi que par deux ou trois valets de la garde-robe qui se retiraient après vous avoir donné ce qu'il fallait qu'on eût devant soi.
Le Roi était gai, libre, mais toujours avec une grandeur qu'il ne laissait pas oublier.»

vous ayez joué quelque grande partie de paume ce
matin, vous me paraissez fatigué.»

Les Mémoires sont pleins de cette vie de la cour où
le familier côtoie le solennel; au fil du temps, on y
sent seulement une sorte de relâchement : princes
dissipés lors d'une procession de l'ordre du Saint-
Esprit; ou Louis XVI, au coucher, inspirant quelques
réflexions à la comtesse de Boigne : «Lorsqu'un
familier recevait l'honneur de lui remettre sa
chemise, le roi faisait souvent de petites niches,
l'évitait, passait à côté, se faisait poursuivre et
accompagnait ces charmantes plaisanteries de gros
rires qui faisaient souffrir les personnes qui lui
étaient sincèrement attachées.»

Pour les reines de France, une vie officielle et discrète. Seule Marie-Antoinette marquera Versailles de son empreinte

Si Marie-Thérèse d'Autriche vit peu à Versailles (elle
meurt en 1683), la vie de Marie Leszczynska se
déroule officiellement dans son Grand Appartement :
son antichambre est le lieu du grand couvert; elle-
même procède à la cérémonie du lavement des pieds,
le jeudi saint, dans la grande salle des Gardes du
corps; son grand cabinet et sa chambre sont le lieu
d'audiences solennelles, comme celle du légat du
pape qui lui remet la rose d'or en 1736; quant au
salon de la Paix, il est annexé à son appartement,
servant au concert ou au jeu.

Si Marie-Thérèse d'Autriche (ci-dessous), est effacée, Marie Leszczynska (ci-dessus) a une action politique marquée à l'intérieur même de la Cour.

Meuble et linge y sont régulièrement remplacés,
faisant le bonheur de tel officier ou dame d'honneur.
Il n'est pas jusqu'aux bougies du château qui ne
fassent l'objet d'un règlement : «Lorsque la reine
mange dans sa chambre, les bougies de dessus sa
table appartiennent à l'huissier de la chambre;
quand elle mange dans son cabinet, c'est
l'huissier du cabinet et lorsque c'est dans
l'antichambre, c'est l'huissier de
l'antichambre» (duc de Luynes) : ces
profits ne sont peut-être pas si
minces [...] A l'arrière, dans ses
cabinets et ses entresols, la reine
se repose, lit, dessine, tapisse, se

baigne. Marie-Antoinette fera quelquefois rouler dans sa chambre un «sabot». Elle-même, entourée d'une Cour jeune et de «messieurs amusants», reçoit beaucoup, joue encore plus, lit quelque peu et collectionne les objets d'art. Son appartement, et surtout Trianon, résonnent de cette vie brillante où la plus belle place est faite au théâtre et à la musique : la reine joue la comédie mais sait s'engager dans les querelles bien parisiennes de la «nouvelle musique».

Après Louis XIV et Mme de Pompadour, Marie-Antoinette reprend la direction des fêtes de la Cour. Sa jeunesse, son éducation et son goût pour les arts l'entraînent à l'imprudence mais aussi à la consécration de certains artistes.

Les enfants royaux doivent se plier à la dure discipline de l'étiquette

Ils habitent dans l'aile du Midi ou au rez-de-chaussée du corps central, disposant d'appartements composés d'antichambres, chambre, cabinet et bibliothèque. Celui de Monseigneur est très fréquenté des amateurs car il est collectionneur, et c'est ainsi que l'entend Jacques II venu en 1689 en connaisseur des tableaux, des porcelaines, des cristaux. Le fils de Louis XIV et ses sœurs collectionnent aussi tableaux et meubles dans des pièces souvent remaniées.

Petites fêtes particulières ou mariages princiers, les fêtes familiales restent de somptueux moments où est conviée la foule; le mariage du duc de Bourgogne en 1697, celui du dauphin en 1747 ou 1770, sont l'occasion d'aménagements et d'une grande somptuosité.

Les maîtresses en titre du roi ont aussi leur place à la Cour

Elles aussi sont courtisées, chargées d'obtenir telle faveur; et si Louis XIV rejoint la reine chaque nuit, la longueur de sa liaison avec Mᵐᵉ de Montespan (1667-1681) et les huit enfants qu'elle lui donne incitent le roi à l'installer non loin de lui dans un appartement somptueux qui «devient le centre de la Cour, des plaisirs, de la fortune, [...] de l'espérance et de la terreur des ministres et des généraux d'armée, [...] de l'esprit et d'un tour si particulier, si délicat, si fin, mais toujours si naturel et si agréable qu'il se faisait distinguer à son caractère unique».

Bossuet pour le Grand Dauphin, Fénelon pour le duc de Bourgogne, Fleury pour le futur Louis XV : l'éducation des princes est chose sérieuse. On conserve aujourd'hui nombre d'instruments scientifiques leur ayant appartenu et rappelant le souci des rois pour la botanique, les langues, l'astronomie, la géographie et les autres sciences.

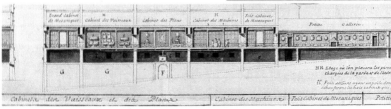

La flamboyante – et redoutable – Athénaïs de Mortemart, marquise de Montespan, (ci-contre) fut la maîtresse de Louis XIV durant une dizaine d'années. Elle en eut huit enfants dont le comte de Toulouse, qui devait donner naissance au futur duc de Penthièvre. Ces enfants et les deux de Mlle de La Vallière furent légitimés par le roi, ce qui entraîna bien des problèmes d'étiquette. Mme de Pompadour (ci-dessous), belle et

En 1685, le roi installe Mme de Montespan dans son appartement des Bains, au rez-de-chaussée, et Mme de Maintenon près de lui, au débouché de l'escalier de marbre : il lui rendra visite tous les jours, y cherchera des conseils, y convoquera ses ministres, y assistera aux comédies de la toute jeune duchesse de Bourgogne, y posera pour Rigaud. Les Mémoires de Dangeau et de Mme de Maintenon permettent d'imaginer «l'autre» quotidien du roi. Ces dames sont de véritables reines.

Louis XV installera de la même façon Mme du Barry ou Mme de Pompadour , sa maîtresse puis amie, qui va donner le ton culturel du règne. C'est dans l'appartement intérieur du roi, puis dans l'escalier des Ambassadeurs qu'elle joue et fait jouer devant Louis XV le *Tartuffe* de Molière, *Acis et Galatée* de Lully, *Issé* de Destouches ou *Azire ou les Américains* de Voltaire. Depuis que Molière a joué à Versailles en 1663 *l'Impromptu* où il égratigne le courtisan, on y donne la comédie quasi quotidiennement.

intelligente, participe à la création de l'Ecole militaire, de la manufacture de Sèvres, encourage les acteurs, soutient la carrière de Boucher.

Un art total, qui ne met en valeur ni les architectes Le Vau ou Mansart, ni le jardinier Le Nôtre, ni le peintre Le Brun. Mais tous ensemble, avec les musiciens et les artificiers, et d'une manière sans cesse renouvelée. Versailles n'existe vraiment qu'habité par le roi et la Cour. Louis XIV ou Marie-Antoinette n'en seraient-ils pas les vrais artistes?

CHAPITRE IV
L'ART MONARCHIQUE

Nouvel Apollon, le roi figure en costume du sacre avec sceptre, couronne et main de justice : l'image fait école. La fable du dieu du Soleil est omniprésente à Versailles. On y trouve aussi Hercule, dont le courage sert de modèle au roi.

Dès le début de son règne, Louis XIV porte à son apogée l'institution académique

Louis XIV, en pragmatique, a mis en pratique l'éducation reçue de Mazarin, depuis l'acharnement au travail jusqu'à la valeur politique de l'œuvre d'art. D'emblée, il se donne les moyens de sa volonté et de sa libéralité : gratifications et pensions vont aux savants (même étrangers), à Molière, Corneille, Boileau et Racine l'historiographe.

Colbert, ministre dévoué et bientôt surintendant des Bâtiments du Roi, crée ou réorganise les grandes institutions artistiques et scientifiques parisiennes : 1661, Académie royale de danse ; 1663, manufacture royale des Gobelins, Académie royale de peinture et sculpture, Petite Académie, qui deviendra l'Académie des inscriptions et belles-lettres ; 1665, *Journal des savants* ; 1666, Académie de France à Rome et Académie royale des sciences ; 1667, construction de l'Observatoire ; 1671, Académie d'architecture ; 1673, réorganisation du Jardin royal des plantes rares, actuel Muséum. Par le biais de ces institutions, Colbert a pour but, dans le domaine scientifique, de favoriser la recherche, facteur de prospérité pour la France. Dans le domaine artistique, il veut discipliner l'art par un

Fondée en 1667, la manufacture royale des Meubles de la Couronne est installée dans l'ancienne teinturerie des Gobelins. Sous l'impulsion de Le Brun, elle produit une floraison de tentures à la gloire du roi.

enseignement fondé sur l'imitation des Anciens et le canaliser au seul profit de la gloire du souverain.

Un roi mécène et collectionneur

Le Bernin, sculpteur italien considéré à Rome comme l'égal de Michel-Ange, «dit à Sa Majesté que, quand elle ne se plairait pas aux belles choses, il était d'un grand prince de témoigner qu'elle les aime et de faire faire toutes ces sortes d'ouvrages». Louis XIV considère l'art en véritable mécène. Il sait reconnaître la valeur des artistes et stimuler leur création. A ses yeux, la flagornerie ne sert pas la grandeur.

Résident de France auprès du grand-duc de Toscane, l'abbé Strozzi est chargé, de 1654 à 1689, de repérer, signaler, négocier tout ce qui peut prendre le chemin de la France, matière brute, œuvre d'art, artiste : Lyon s'enrichit ainsi d'ouvriers tisserands vénitiens et génois; Franceschini reçoit commande d'une *Gloire de Louis XIV triomphant du temps* et Bernin de deux sculptures monumentales représentant le roi.

Les achats sont encore plus nombreux

Louis XIV préside l'établissement de l'Académie des sciences et la fondation de l'Observatoire. 1500, voire 6 000 livres sont versées annuellement aux «sieurs Roberval, Cassini, Huygens pour leur parfaite connaissance des mathématiques».

que les commandes : peintures des Carrache ou du Dominiquin, antiques, que l'on demande en outre aux jeunes artistes français de copier. La salle des Antiques ou la grande perspective de Versailles en recueillent les plus belles pièces. L'enthousiasme du roi collectionneur est tel qu'il reçoit de bien jolis cadeaux : *la Diseuse de bonne aventure* du Caravage lui est offerte par don Camillo Pamphili et *le Repas chez Simon* de Véronèse par la République de Venise en 1665.

Acheteur avisé, Louis XIV sait guetter sa proie, comme l'extraordinaire ensemble de portraits que lui donne Gaignières, le collectionneur, dont il attend le décès avec un certain intérêt… l'année même de sa propre mort ! Et comme les collectionneurs parisiens, il donne sa place à la peinture flamande : Rubens a déjà doté Paris du superbe ensemble du palais du Luxembourg, mais sa *Thomyris* ou tel Van Dyck figurent à côté de Titien, Raphaël, Poussin, voire Valentin.

S'inspirant des jardins italiens, Le Nôtre crée les jardins «à la française», dont la notoriété s'étend à toute l'Europe

Jusqu'au XVIIe siècle, l'art des jardins est italien et chacun s'inspire des modèles comme celui de la villa

Depuis Charles V, les rois de France sont collectionneurs. A lui seul, Louis XIV augmente considérablement les collections royales (ci-contre en haut, *la Diseuse de bonne aventure* du Caravage, et en bas, *le Repas chez Simon* de Véronèse), achète des milliers de dessins, passe commande, fait graver les plus beaux ensembles, soucieux d'éclat et de propagande. C'est ainsi qu'il fait peindre son propre mobilier. Ces deux peintures du fastueux mobilier d'argent sont tout ce qui reste des *Douze Grands Flambeaux* de la série d'Hercule exécutée d'après les dessins de Le Brun pour le salon de Mercure et fondus en 1689 pour les besoins de la guerre.

d'Hadrien à Tivoli, avec son canal et son portique, les jardins Boboli à Florence, ceux du Belvédère à Rome ou de la Villa Médicis.

A son tour, Le Nôtre doit maîtriser la nature, assainir et tirer parti des terrains marécageux du val de Galie. Après Fontainebleau ou Saint-Germain, il sert, au côté de Le Vau, la mode de l'exotique et du pittoresque : l'Orangerie abritera «les pommes d'or des

Hespérides» et la Ménagerie – véritable palais des *Mille et Une Nuits* –, une grotte à rocailles au rez-de-chaussée, agrémentée de grotesques et, à l'étage, un salon à miroirs, arabesques, porcelaines et «autres

S'il fleurit peu ses parterres de broderies, Le Nôtre ceinture ses bosquets de hautes charmilles et de treillages : son ambition est d'être un architecte de la nature. Ce buffet d'eau à gradins (ci-contre) ornait le bosquet du marais dont Charles Perrault dit que Mme de Montespan le dessina, «où un arbre de bronze jette de l'eau par toutes ses feuilles de fer blanc et où les roseaux de même étoffe jettent de l'eau de tous côtés». Prolongeant le parterre de l'Orangerie, la pièce d'eau des Suisses collecte toutes les eaux des sources situées au sud du château; sa création refaçonne l'ancien Etang puant qu'elle régularise et assainit.

Construite en 1666, la grotte de Thétis est une sorte de cube avec trois grandes grilles ouvrant sur le parc. Elle est dotée d'un orgue hydraulique : «Au bruit de l'eau, le jeu des orgues s'accorde avec le chant des petits oiseaux qui sont représentés au naturel en coquillage dans les diverses niches et, par un artifice encore plus surprenant, on entend un écho qui répète cette douce musique.»

curiosités». Le «casin» fantasque de la grotte de Thétis doté d'un orgue hydraulique qui commande «giclures et pissures» reçoit, lui aussi, le décor «baroque» et fort coûteux du rocailleur Duval.

La topographie interdit-elle toute cascade monumentale? Le Nôtre insiste sur la succession des plans d'eau : le Parterre, Latone, le Canal, et demande des «remuements» de terre qui adoucissent la pente au nord pour l'Allée d'eau, permettent au midi la majesté du double escalier des Cent Marches vers l'Orangerie et atténuent, dans la perspective, tout escarpement, découvrant de larges terrasses.

Plus que quiconque, Louis XIV, qui arpente ses jardins, les regarde attentivement. Il n'est pas étranger à leur grandeur : que lui doit-on de la lente élaboration du Parterre d'eau? de l'articulation des perspectives bordées de hautes charmilles et ponctuées de bassins et de fontaines? de la recherche architecturale des bosquets qui reste cependant œuvre de jardinier? Fier de leur agencement grandiose, il rédigera lui-même un itinéraire pour guider le visiteur dans ce parc admirable.

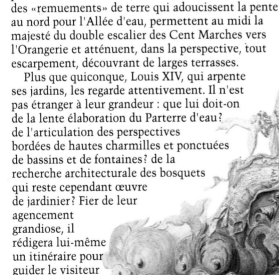

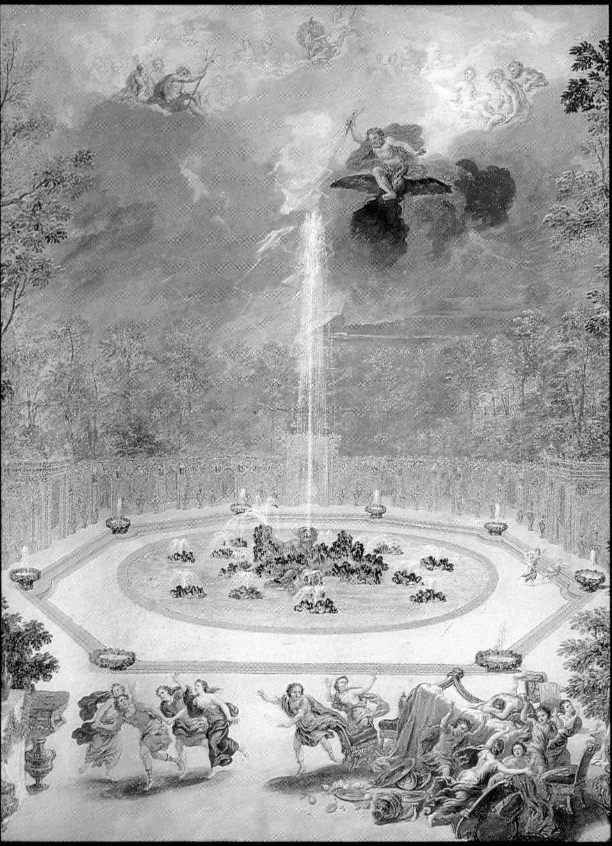

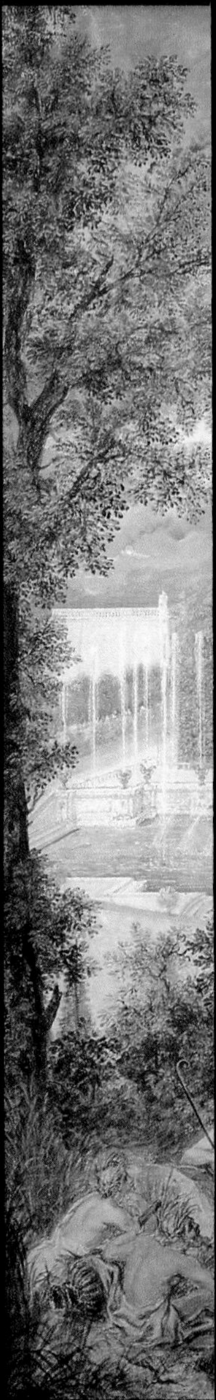

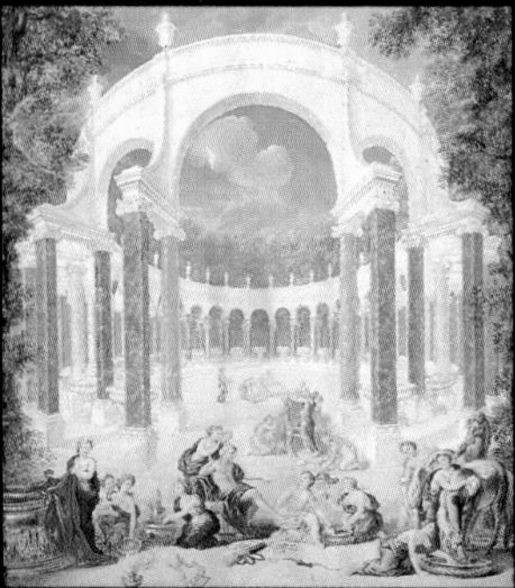

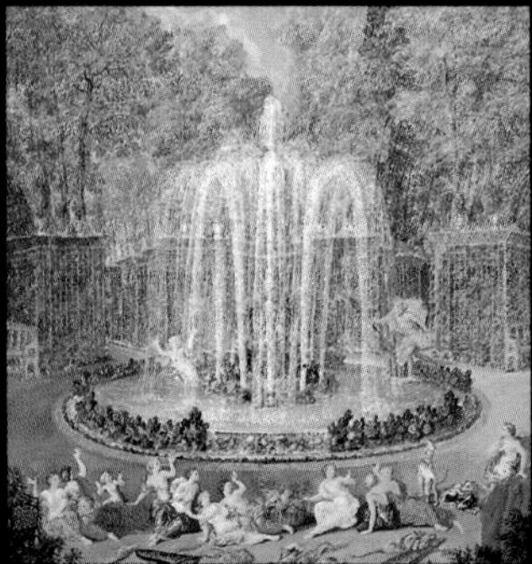

« **O**n entrera dans la Colonade, on ira dans le milieu, où l'on en fera le tour pour considérer les colonnes, les ceintres, les bas reliefs et les bassins. [...] On passera par Lancellade, où l'on ne fera qu'un demytour, et après l'avoir considéré, on en sortira par en bas. [...] On resortira par le Dragon, on passera par l'allée des Enfans, et quand on sera sur la pierre qui est entre les deux bassins d'en bas, on se tournera pour voir d'un coup d'œil tous les jets de Neptune et du Dragon.» Page de gauche, en haut, l'Encelade, récemment restauré dans son état original; en bas, à gauche, la Colonnade de Mansart, qui, en 1684, remplace le bosquet des Sources, et est dotée, en 1699, d'un *Enlèvement de Proserpine par Pluton* sculpté par Girardon, d'après un dessin de Le Brun; à droite, le bosquet de l'Etoile ou Montagne d'eau, où Le Nôtre associe marbre, rocailles et treillages de chèvrefeuille. Cicontre, le bassin de Neptune creusé par Le Nôtre en 1679, dont le vertugadin ferme la perspective vers le nord.

Les œuvres de Puget, de Girardon, du Bernin, font de Versailles un extraordinaire musée de la Sculpture en plein air

La grandeur d'une perspective fuyant vers l'horizon et la convergence vers le château d'axes secondaires entrecoupés d'esplanades où l'œuvre d'art prend toute son importance ne sont pas les seuls mérites de ces jardins conçus à partir du château : leur statuaire est unique et le décor, pittoresque, souligne le frémissement des éléments. Les marbres se détachent sur les frondaisons, les bronzes frémissent sous la lumière, les plombs se tassent sous la puissance des jets d'eau.

Au Labyrinthe, les animaux sont accompagnés d'une «machine» hydraulique; à la Pyramide, l'eau jaillit avec verve sur écrevisses et tritons jouant avec des enfants. Ceux-ci sont présents et bien avant que Louis XIV ne réclame pour la Ménagerie, en 1699, «de l'enfance répandue partout»

Le soleil «assurément la plus vive et la plus belle image d'un monarque» a sa place à Versailles. L'un des symboles en est Apollon. Au bassin de Tuby, il surgit, majestueux, quand Girardon le fait reposer chez Thétis; les nymphes de la Cascade s'enfoncent dans l'ombre derrière un rideau translucide tandis que, non loin, l'Encelade de Marsy déploie une vigueur tout italienne.

Face à l'Europe et au Bernin, un ensemble de pièces maîtresses clament l'excellence des artistes français et l'infinitude de leur invention : bassins des Saisons, bronzes nationaux, vases et thermes. C'est le cas de la salle des Antiques, éphémère «Vatican de plein air» que Le Nôtre imagine à son retour d'Italie : *Proserpine* de Girardon, *Milon de Crotone* de Puget et jusqu'au *Louis XIV* du Bernin que Girardon transforme, sur ordre royal,

A partir de 1666, les élèves de l'Académie de France à Rome exécutent et envoient à Colbert des commandes ou des copies d'antiques (ci-dessus la galerie des Antiques, dans le parc). Les statues de Louis XIV présentent une très grande variété : de l'académisme le plus pur de Girardon au réalisme vigoureux de Marsy (ci-contre, un détail du bosquet des Bains d'Apollon) et de Guérin; tandis que, non loin de là, Puget propose son *Milon de Crotone*.

Appuyé sur le Doubs, le Roi regarde la Terreur qui traîne les villes de Franche-Comté à ses pieds; Mars foule l'urne du fleuve; Hercule et Minerve prennent d'assaut Besançon figurée par le lion espagnol; au fond, l'Hiver, les Vents, le Zodiaque, la Gloire, la Renommée, la Paix; à droite, l'Aigle impériale inquiète. Cette esquisse de Le Brun a été précédée de nombreux dessins qui montrent l'évolution de la pensée de l'artiste.

en *Marcus Curtius*; pittoresque, élégance, sérénité, calme ou tension, vigueur ou légèreté. Quelle extraordinaire scénographie dans ces jardins s'éloignant avec une telle grandeur de la leçon italienne!

Des bronzes décoratifs à la voûte de la Grande Galerie, Le Brun est partout dans le Versailles du Roi-Soleil

Le premier peintre et décorateur du roi ne connaît guère de limites à son activité. On lui doit l'unité et l'harmonie du style dans la décoration du château au

XVIIᵉ siècle. Il fut même accusé de tyrannie envers les autre artistes; pourtant ne se montre-t-il pas du plus grand libéralisme? Déjà, dans les jardins, son programme d'allégories est confié à Girardon, Le Hongre, ou Desjardins qui en font merveilles; ingénieurs, fontainiers ou artificiers donnent vie à son génie décoratif.

Dans les Grands Appartements, Le Brun est chez lui. Les plafonds peints sont son affaire depuis Vaux et le Louvre. Mobilier, orfèvrerie, bronzes et tapisseries sortent des manufactures royales des Gobelins ou de Beauvais qu'il ne se contente pas de diriger : le Louvre est aujourd'hui riche de plusieurs milliers de dessins qui sont autant de projets, premières pensées, esquisses, parfois fort précis, pour tel élément versaillais. Ces archives et les comptes des Bâtiments du Roi permettent de suivre approximativement le rôle qu'il a joué dans la création de la galerie des Glaces ou de l'escalier des Ambassadeurs.

Après la recherche de la puissance et de la pureté vient le temps de la réflexion et de l'ouverture

L'antique et le grand décor italien restent la référence quotidienne, mais on se querelle, parfois vivement, sur les mérites de la couleur ou du dessin.

A Versailles, le prétendu doctrinaire Le Brun laisse

Élève de Vouet, Le Brun (1619-1690) montre d'emblée une manière brillante, exécutant en 1642 un *Martyre de saint Jean* pour la corporation des peintres. Un long séjour en Italie, puis la méditation de la leçon de Poussin lui apprennent la dignité dans l'expression des passions et l'invention décorative. Vaux-le-Vicomte en est le magnifique résultat. Premier peintre du Roi, membre fondateur de l'Académie, directeur des Gobelins, théoricien d'une peinture plus intellectuelle que sensible, il surveille la décoration des maisons royales, en dessine le moindre élément et poursuit ses études de physiognomonie. A la fin de sa vie, il adopte un ton nouveau, où le sentiment a sa place.

Le Matin.   Le Midy.   Le Soir.   La nuit.

Le Feu   l'Eau   La Terre

Malgré les «très humbles rémonstrances» de la veuve de Le Brun, Louvois fit saisir plus de 3 000 dessins, études, premières pensées et projets pour les maisons royales, qui sont aujourd'hui conservés au Louvre. Les dessins de statues symbolisant les quatre parties du jour et les quatre éléments (en haut à gauche et à droite) sont ceux de la «grande commande» de 1674.

L'escalier des Ambassadeurs et la galerie des Glaces (ci-contre) racontent l'histoire du Roi. La représentation des nations de l'Europe et de l'Amérique en montre le ton résolument moderne (à gauche). Ci-dessus, première idée de Le Brun pour la calotte du salon de la Paix, où la France, dans son apothéose, traverse les airs sur un char précédé par la Paix.

deux de ses protégés, La Fosse et Jouvenet, brillants, coloristes, vigoureux et déjà de la génération de Watteau, maîtres de la salle du Trône et celle des Gardes. Il y a plus : on n'a guère d'informations sur son rôle dans le programme des Grands Appartements, ni la place qu'il fait, dans l'escalier des Ambassadeurs, à Van der Meulen, peintre d'observation et coloriste, d'origine flamande et témoin du goût «moderne» de l'amateur.

Quant au roi, il laisse Mignard décorer sa «Petite Galerie» d'une mythologie traditionnelle et confie en même temps le décor de son antichambre à Parrocel, que plus d'un confondrait avec Delacroix. Versailles n'est pas le siège de l'avant-garde, mais Louis XIV et ses conseillers sont trop conscients de l'enjeu pour jouer la sclérose dans la tradition.

L e Brun baroque? Il retrouve dans le *Trébuchement des anges* la vigueur des grands décorateurs italiens jusqu'à Pierre de Cortone. Ce projet pour le plafond de la chapelle lui semble si important que maintes fois il le présente à Louvois, sans succès. Trente ans plus tard, Coypel s'orientera vers une solution plus calme, propre à la plénitude de Mansart.

Le Brun, courtisan? La décoration habituelle d'une galerie est variée, destinée à un public ambulant et oisif. Même celle de Mignard, antiquisante et traditionnelle, ne dure guère; non plus que celle du deuxième étage, où Louis XV a placé des *Chasses exotiques* de Boucher, Lancret ou de Troy. Seule subsiste celle de Le Brun : chef-d'œuvre nécessaire et, partant, intouchable? Les autres ont semblé décoratives, donc accessoires. Louis XV, la mort dans l'âme sacrifie l'escalier des Ambassadeurs, mais sauvegarde les peintures de Le Brun. Il comprend que le premier peintre de Louis XIV a fait là œuvre capitale : au-delà de montrer à l'Europe des actions glorieuses, il a illustré ce que la voix populaire

«Je suis très content. Je vous louerais davantage si vous m'aviez moins loué»

Au Luxembourg Rubens, en romancier, a célébré Marie de Médicis «avec les ingrédients nécessaires d'amour, vertu et gloire pimentés de mythologie et d'anecdote».

Mais imagine-t-on à Versailles, au plafond de sa salle du Trône, Louis XIV présenté à Apollon par la Gloire et la Vertu? On y trouve les armes de France et de Navarre, mais jamais les armes personnelles du roi ni celles de la famille de la reine.

Louis XIV rompt avec la tradition, et toute la modernité de Versailles est là. Nul divorce avec le grand décor architectural romain ou parisien, mais nulle fatuité dans l'inspiration : Louis XIV est un

résume en cette formule attribuée au roi : «l'Etat, c'est moi».

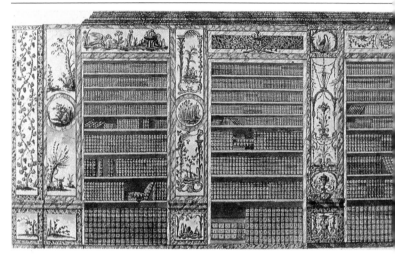

souverain, non un héros; ses actions guerrières soulignent un profond désir de paix et ses bienfaits vont à ceux qui l'acceptent. Imagerie qui montre de bonnes intentions; ambition, que corrobore la création de l'«ordre français».

Peu à peu l'on se détourne du modèle italien mis en place par Mazarin. L'effort des grandes commandes va s'essoufflant : plafonds, tapisseries de *l'Histoire du Roi*, mobilier d'argent, commande du grand Trianon qui est plus un hommage à la peinture qu'à l'histoire : la vigueur du style s'épuise quand il se raffine.

De l'art monarchique à l'art de vivre, un moment de perfection de l'art français

Le plaisir de l'amateur du XVIIIe siècle est autre et Paris, que jamais aucun artiste n'a délaissé, impose un goût nouveau : celui du bonheur de vivre. La logique qui conduit de *Tartuffe* à *Phèdre*, de Versailles à Marly, mène à l'exigence de Chardin, à la clarté de Boucher.

A Versailles même, cela se traduit par la revanche des arts décoratifs. Cucci, Boulle ou Vassé, monumentaux, font place au souple Verberckt puis aux Rousseau, qui réintroduisent l'antique dans

Le successeur de Louis XIV ne renie rien de la grandeur monarchique, mais ne relance pas la création. Parfait, l'art sert l'individu, non l'Etat. Le Versailles de Louis XV est celui d'appartements jolis

ou confortables où les femmes se font plus présentes. Ci-dessus un projet de Gabriel pour la bibliothèque de Mme Sophie.

Après Rigaud, créateur de l'image du roi absolu, Nattier (ci-dessous, le portrait de Henriette de France et sa viole), ou Drouais donnent tout au long du siècle une étonnante galerie de portraits de la famille royale : douceur puis sensibilité servent l'élégance de la Cour, tandis que Quentin de La Tour (à gauche, un portrait de Louis XV) approfondit ses études psychologiques. Boucher, peintre virtuose et inventif, le grand décorateur du règne de Louis XV, doit beaucoup à Mme de Pompadour (ci-contre) : commande pour Fontainebleau, logement au Louvre, travaux à Bellevue et à Crécy. Il réalisera d'elle un portrait plein de douceur et de charme.

l'appartement de Marie-Antoinette. Avec quelque exagération, on dira que les œuvres de Puget, Bernin ou Girardon seront remplacées par les biscuits de Sèvres de la bibliothèque de Louis XVI, reproduction en réduction de la commande des *Hommes illustres français* passée par l'Angivillier. Et Gabriel, dans son opéra de 1770, doit renouer avec l'antique de Mansart ou de Robert de Cotte, au moment même où cet antique est rêvé dans les ruines imaginées par Hubert Robert pour les groupes de l'ancienne grotte de Thétis, et où la nature reprend ses droits au hameau du Petit trianon.

Le Nôtre, Le Vau, Mansart, Le Brun, Lully, Vigarani, Boucher ou Gabriel : y a-t-il un art de Versailles ?

Reflet de son époque, le château, par ses solutions successives, matérialise plus d'un concept. Les fêtes, la grotte de Thétis illustrent un pittoresque dynamique qui, prenant corps, aura le souffle de l'épopée du roi absolu, de droit divin et bienfaiteur. Couleurs, trompettes, opéra, sculptures de plusieurs matériaux, gemmes montées ou mobilier d'argent : c'est la splendeur d'une jeunesse un peu clinquante, dans les années 1670. Mais à considérer l'aventure du projet du Bernin pour le Louvre et la façade sur jardin de Versailles, on mesure l'apaisement, la maîtrise du goût qui peu à peu va distinguer l'œuvre d'art pour elle-même.

Surgit alors l'ambiguïté : ce qui reste de l'art français du XVIIIe siècle apparaît en bonne part parisien, montré au Salon, ayant nom Watteau, Boucher, Chardin, Fragonard voire David. Mais le modèle de l'art de vivre n'est-il pas alors celui de la cour de Versailles, de ses bals, de ses soupers ? Trouvera-t-on plus belle image du retour à la nature prôné par Rousseau, que celle de Marie-Antoinette, dans sa ferme, à Trianon ? Versailles, qui n'est plus créateur, est déjà devenu symbole.

Charpentier, Delalande, Campra, Lully, Couperin, Rameau plus tard : sans Versailles, que serait la musique française ? Mozart y séjourne en 1764, mais n'est alors qu'un enfant prodige. Un tableau d'Ollivier peint pour le château de l'Isle-Adam en 1766 montre combien la musique fait alors partie de la vie quotidienne des princes. Marie-Antoinette s'y adonne dès son arrivée à Versailles : Mme Vigée-Lebrun raconte dans ses mémoires que «Dès que Sa Majesté eut entendu dire que j'avais une jolie voix, elle ne donnait peu de séances sans me faire chanter avec elle plusieurs duos de Grétry, car elle aimait infiniment la musique, quoique sa voix ne fut pas d'une grande justesse.» Avec le hameau de Trianon, le jardinage, la comédie ou le ballet, traditionnelles occupations royales, elle réinvente un nouvel art de vivre. Elle est la vedette incontestée de Versailles dont l'éclat ternit la personnalité de Louis XVI, soucieux de réformes, d'économies et de chasse.

De la journée des Dupes en 1630 au remaniement de la Constitution de la Vᵉ République en 1976, Versailles est un lieu politique. Son décor historique et allégorique ainsi que ses collections d'œuvres d'art en font, dès l'origine, un bâtiment national où s'imbriquent l'histoire passée et l'actualité.

CHAPITRE V

MANIFESTE POLITIQUE OU TEMPLE DE L'HISTOIRE ?

En 1919, Versailles renoue avec son destin national : le 1ᵉʳ mai s'y ouvre la conférence de Paris. Les séances de travail ont lieu au Trianon Palace. Le traité de paix est signé le 28 juin dans la galerie des Glaces.

Louis XIV a-t-il prémédité l'inscription de l'absolutisme à Versailles?

Depuis 1675, Louis XIV a décidé d'installer la Cour à Versailles; le château abrite son gouvernement et en est l'instrument; lui-même a choisi pour emblème le soleil «par le bien qu'il fait en tous lieux, produisant sans cesse de tous côtés la vie, la joie et l'action»; l'un de ses plus chers désirs est une noblesse docile – à tout le moins calme – et pour ce faire, l'autorité et la mécanique quotidienne sont exploitées autant que la vieille prétention du roi de France au pouvoir impérial. Le roi devient grand prêtre, officiant principal de son lever et de son coucher, dans sa chambre située au centre du château, face au soleil levant, à la croisée des grands chemins du royaume.

Mais comment supposer que Versailles soit le fruit d'une longue préméditation, quand modifications, improvisations ou à-peu-près sont si présents dans les documents du temps? Louis XIV ne se fixe dans sa grande chambre qu'en 1701. Quant à l'emménagement du 5 mai 1682, il se fait dans la plus indescriptible confusion d'un chantier... que la Révolution n'arrêtera même pas.

Versailles et sa magnificence assurent la propagande d'un roi moderne

«On avait expressément ordonné aux imprimeurs de n'imprimer aucun livre qui ne contînt son éloge, et cela à cause des sujets. Les Français d'ordinaire lisent beaucoup, et la province lisant tout ce qui vient de Paris, l'éloge du Roi leur inspire du respect et de la considération.» La louange du prince est de mise depuis l'Antiquité. Si Louis XIV sait à quoi s'en tenir quant à sa sincérité, il en sait aussi sa nécessité. En bon «politique», il connaît les mérites de la communication, à tel point qu'il organise un véritable réseau de propagande.

C'est la magnificence de Versailles et les fastes de la Cour qui montrent la richesse de la France comme la puissance de son roi. Versailles incarne la nation. Une nation dont il faut rappeler l'immémorialité : on insiste tour à tour sur Pharamond, Clovis, Hugues

Capet, Charlemagne, Philippe-Auguste, Saint Louis défenseurs de la foi; mais nulle part d'assimilation : leur place est à la chapelle où se trouve réinscrit le rôle de la «fille aînée de l'Eglise». Une nation connue jusqu'aux extrémités de la terre, qui envoie partout ambassadeurs, explorateurs et missionnaires, et qui n'est pas toujours en lutte contre les puissances étrangères : aux écoinçons sculptés du salon de Mars, les frères Marsy sculptent le croissant turc qui rappelle au passant que le Roi Très-Chrétien a dépêché en 1664 en Hongrie une armée qui s'est illustrée à la bataille du Saint-Gothard.

L'allégorie traditionnelle n'est-elle pas, du coup, un langage désuet? La Rome antique n'est plus le modèle de l'autorité politique, définitivement acquise dès la paix d'Aix-la-Chapelle, et l'utilisation de ses symboles reste circonstanciée : les épisodes de la vie d'Alexandre évoquant la jeunesse du roi font place à Louis-Auguste revêtu de la cuirasse d'imperator.

Henri III créa l'ordre du Saint Esprit en 1578 «pour adjoindre à soi, d'un nouvel et plus étroit lien, ceux qu'il y voulait honorer, [...] les rendre plus loyaux et affectionnés serviteurs». Ci-contre, la remise de l'ordre dans la chapelle de Versailles.

«Je vous confie la chose la plus précieuse du monde : ma renommée.» Tel fut le premier commandement de Louis XIV aux membres de l'Académie. Placés sous l'influence de Le Brun, chef d'orchestre de la magnificence du monarque, les sculpteurs officiels sont Girardon et Coysevox. Ce dernier est parfois marqué par l'art du Bernin, ce que montre, ci-contre, dessiné par Chevotet, le buste du roi, qui remplace, dans l'escalier des Ambassadeurs en 1681, celui de Warin exécuté en concurrence de celui du Bernin en 1665.

Lorsque Louis XV et Louis XVI – qui ne sont pas que botaniste ou serrurier , terminent le château de leur ancêtre, ils en conservent l'idée de grandeur : décor de la chapelle et du salon d'Hercule, construction de l'Opéra et des grands ministères, hommage aux grands hommes de la nation par une série sculptée reprise en biscuit de Sèvres : moins novateurs que Louis XIV, ils n'en suivent pas moins les idées de leur temps qu'ils appliquent, en monarques éclairés, au palais national.

Affichée, grandie, transcrite, l'histoire est maintenant écrite en français et par le roi

Dès 1678, où il conçoit la galerie et le décor de l'escalier, Apollon, Hercule et Alexandre ne sont plus pour Louis XIV le passage obligé vers la célébrité. Le début du règne est suffisamment glorieux pour s'afficher sans honte.

Par la suite, le roi fait l'histoire ; il n'a plus à faire ses preuves et peut même bousculer quelque peu les habitudes artistiques ou littéraires. Les dernières commandes de Louis XIV ne reflètent plus aucun goût pour la mythologie, somme toute traditionnelle, de la Petite Galerie de Mignard qui a succédé à Le Brun ; tout au contraire, Versailles, Marly ou Meudon donnent à La Fosse, Jouvenet ou Santerre l'occasion de montrer une sensibilité toute moderne qui relie directement le Le Brun des *Nativités*, aujourd'hui conservées au Louvre, à Watteau ou au Le Moyne du salon d'Hercule.

Comme la monnaie, le langage doit être «marqué au coin du Prince». La mythologie évincée, sa langue l'est aussitôt : d'abord latines, les inscriptions de l'abbé Tallemand à la galerie des Glaces sont, sur ordre du roi, remplacées par celles de Boileau et de Racine l'historiographe.

Un château aux portes ouvertes

Cette histoire de la nation et de son roi, racontée à travers

L a toile de Mignard, *Louis XIV à cheval couronné par la Victoire* (ci-dessus) glorifie le roi vainqueur Le dessin de Le Brun *Louis XIV partant pour la guerre* (ci-dessous), se rapporte à la glorieuse campagne de Hollande en 1672. Mme de Sévigné dira : «Cette fin de campagne nous met dans un grand repos, et donne à la cour une belle disposition pour les plaisirs.»

la splendeur du château, est livrée à tous : Versailles est public. La demeure royale est animée d'un va-et-vient incessant de généraux, d'ambassadeurs, de gouverneurs de province, d'intendants, d'évêques... Le château, les jardins, les spectacles attirent aussi bien les bourgeois de Paris, le peuple de province et les princes de l'Europe.

«Je reviens de Versailles, tout est grand, tout est magnifique. Et la musique et la danse sont dans leur perfection.» Relations et témoignages d'admiration sont innombrables. A peine moins nombreux sont les guides complétant les inscriptions de la galerie ou expliquant les allégories : celui de Piganiol de la Force qui décrit ce «Palais conduit à ce point de perfection auquel on ne peut rien ajouter» est réédité neuf fois entre 1701 et 1764! Le plus émouvant n'est-il pas cette *Manière de montrer les jardins de Versailles* mise au point par Louis XIV lui-même?

L'ensemble des tapisseries de *l'Histoire du Roi*, qui renouvelle par sa richesse la tapisserie française, décrit les principaux événements civils, militaires ou diplomatiques des années 1654-1678. Dans cette *Prise de Dôle* (ci-dessus) du 14 février 1668, le roi apparaît avec Condé et son fils à sa droite, le duc d'Enghien à sa gauche.

En 1715, Versailles perd son grand prêtre

A chaque instant de son règne, Louis est resté le roi. Sous Louis XV et encore plus sous

Louis XVI, l'identité entre l'homme et le roi, entre le roi et Versailles s'amenuise. Ces souverains préfèrent la vie privée à la vie publique, délaissent de plus en plus leur palais et ne sont plus les maîtres de la Cour. Symbole politique, Versailles l'est encore, mais le château est devenu synonyme de l'absolutisme du régime, de la frivolité de la noblesse, des dépenses excessives et des gaspillages de la Cour.

1789 sonne-t-il la fin de la gloire de Versailles ?

Les cérémonies d'ouverture des Etats généraux et leur procession triomphante le 4 mai 1789 sont le dernier grand spectacle offert à Versailles par la monarchie.

Après l'invasion du grand escalier par les émeutiers qui arrivent jusqu'à l'appartement du Roi, Louis XVI quitte le château devenu, aux yeux des Parisiens, symbole des fautes du gouvernement et des abus de la Cour. «Vous restez le maître ici, tâchez de me sauver mon pauvre Versailles», confie-t-il en partant à son ministre de la Guerre, La Tour du Pin.

Bien qu'iconoclaste puisqu'elle supprime tous les symboles de la royauté, la Révolution ne détruit pas ce monument chargé de sens. Elle ne le défigure pas non plus. Elle le vide : tableaux et sculptures sont envoyés au Muséum parisien, le mobilier vendu presque intégralement. Non «récupéré» par le pouvoir, mais désacralisé, le bâtiment abrite un musée spécial de l'Ecole française, ouvert au public en 1801.

Versailles abandonné sera utilisé comme annexe des Invalides par Napoléon, l'Orangerie deviendra prison pour les otages d'Orléans en 1792 et, beaucoup plus tard, pour les combattants de la Commune.

L'été 1789 a été chaud en France où règne une certaine fièvre. A Paris, l'on manque de pain. La Fayette accompagne à Versailles la foule qui pénètre dans l'appartement de la reine. Le 6 octobre, elle ramène à Paris «le boulanger, la boulangère et le petit mitron» qui s'installent un temps aux Tuileries.

Seuls habilités à voter un nouvel impôt, les Etats généraux sont convoqués par Louis XVI à Versailles pour mai 1789. Le 4 mai, une procession d'ouverture (ci-dessous) va de Notre-Dame à Saint-Louis. Le 5 mai, Necker prononce un long discours technique sur l'état des finances du royaume. Déçu, le tiers état veut obtenir une «constitution du royaume établie et affermie sur des fondations solides», et le fait savoir par le Serment du Jeu de paume.

Louis-Philippe transforme le château en un musée dédié à toutes les gloires de la France

Il reprend à son compte le propos politique, historique et didactique du premier musée créé par la Révolution. Il veut y écrire l'histoire d'une nation née à Tolbiac : c'est la galerie des Batailles. Au milieu de longues séries iconographiques, il ménage des temps forts, propres à se rallier une opinion publique plus sourcilleuse que l'Europe admirative du XVIIe siècle :

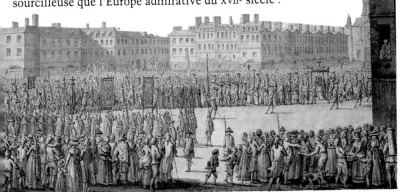

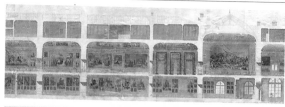

aux légitimistes les Croisades; aux bonapartistes l'épopée du Consulat et de l'Empire; aux républicains la salle de 1792 «triomphe du peuple écrit sur les murs d'un palais par la main d'un roi»; à ses partisans enfin la salle de 1830 illustrant les guerres du règne : y a-t-il plus ambitieux programme national ?

Créant une muséologie nouvelle, gommant la fonction d'habitation du bâtiment, plus «timoré» que Louis XIV, il fait de l'énorme chantier versaillais un recueil historique, non le miroir de la nation vivante

Fontaine et Nepveu sont chargés des travaux. La coupe de l'appartement de la Reine (en haut) montre un accrochage serré de tableaux. Le projet de la salle de 1830 met en évidence le vide laissé par la suppression des entresols des appartements princiers.

ni de ses querelles artistiques : n'est-ce pas le temps
de la bataille d'Hernani?

Ce programme ne se fait pas sans pertes ni
destructions : la quasi-totalité des appartements de
l'aile du Midi sont démolis pour construire la galerie
des Batailles.

Napoléon III et la République continueront
d'exalter à Versailles les personnages et les grands
événements nationaux et compléteront les
collections du musée par des commandes.

Après Sedan, l'armée allemande s'installe à Versailles et la galerie des Glaces est transformée en «ambulance». La Commune contraint le gouvernement à camper dans le château.

S ous le Second Empire, les visites des souverains étrangers se multiplient. La réception offerte à la reine Victoria et au prince Albert fut particulièrement brillante : grandes eaux, réception à l'Opéra (ci-contre), bal dans la galerie des Glaces. Dans le parc, le Parterre d'eau était encadré de portiques de style Renaissance avec, au centre, un arc de triomphe surmonté du double écusson de la France et de l'Angleterre. «Les deux bassins ne formaient qu'une vaste nappe embrasée sur laquelle nageaient des dauphins d'or montés par des amours portant des torchères à globes et des guirlandes vénitiennes.»

L'histoire se joue encore à Versailles

Guillaume Ier y est proclamé empereur en 1871;
Bazaine y est jugé en 1873; depuis 1875, et jusqu'à
nos jours, la Chambre des députés et le Sénat s'y
réunissent en congrès pour y prendre certaines
décisions comme la révision de la constitution. Après
la Première Guerre mondiale, la paix y est signée
dans la galerie des Glaces.

Si la République veut honorer un visiteur, c'est à
Versailles qu'elle le traite; il n'est pas jusqu'au
contestataire qui ne songe à en faire sa tribune.

Composé de chefs-d'œuvre et voué au service du
pays, Versailles n'est-il pas lui-même un chef-d'œuvre
qui exige le service du roi, de ses successeurs,
de la nation ou des générations d'admirateurs ?

Vingt-cinq ans après le traité de Versailles, la ville renoue avec l'actualité : le général Eisenhower installe un grand quartier général à l'hôtel du Trianon Palace.

En 1862, la société des fêtes versaillaises annonce sa première grande fête. C'est le signal d'un renouveau et la consécration du bassin de Neptune où se déroulent aujourd'hui les fêtes de nuit. L'auteur de ce tableau, Eugène Lami, a peint la plupart des fêtes des règnes de Louis-Philippe et de Napoléon III. Ci-dessous, la fête organisée par l'empereur en l'honneur du roi d'Espagne don François. Le second Empire est aussi celui de la résurrection du Petit Trianon : «L'empereur et l'impératrice ont mis à la disposition de la commission [destinée au remeublement de ce lieu] tout ce qui, dans leur collection privée ou dans les magasins du Garde-meuble, pourrait convenir au cadre qu'elle doit remplir», témoignant ainsi du goût alors généralement partagé pour l'art français des années 1780.

TÉMOIGNAGES
ET DOCUMENTS

Descriptions enchantées

Avant même d'être terminé, le château donne lieu à de vivants « reportages ». Il en incite beaucoup au rêve, comme ce poète qui, de sa prison, fait parler la salle du Trône !

De Paris à Versailles...

La belle Etrangère, voiant que nous estions déja proches du Palais, se mit à considerer cette agréable place en demi-lune (formée par une balustrade) dont les pointes finissent par deux Obelisques, portans la devise du Roy à toutes les trois faces. Elle prit garde aussi en passant à ces petits Hostels de campagne qui sont bâtis proche du Palais pour la commodité des Grands de la Cour, & aux inscriptions qui les font connoître. [...]

Vue de l'Orangerie et du château de Versailles depuis la pièce d'eau des Suisses, vers 1740. Au premier plan, pêchant à la ligne, Mmes Louise-Elisabeth et Henriette.

Telamon trouva l'avant-cour d'une belle grandeur, d'une forme agréable, avec les deux aises de bastimens qui la ferment à droit & à gauche. [...] Divers rangs de bustes ornent la face du bastiment & les deux aisles aussi, dont un magnifique corridor à balustres dorez, fait la communication, & regne ensuite tout à l'entour du Palais, pour le rendre non seulement plus beau, mais aussi plus commode. Comme le Soleil parut un moment fort à découvert, il sembla [...] que ce n'estoit que pour faire briller davantage tout l'or, dont le comble du Palais est orné. [...] Nous entrâmes dans le vestibule, qui pour n'etre pas extremesment grand, ne laisse pas de plaire, & d'estre trés-ingenieusement pensé ; il est entiérement peint & doré, ayant plusieurs chandeliers de cristal pour l'éclairer la nuit [...]

Madame, luy dis-je, aux autres maisons du Roi, on a cherché la magnificence par la grandeur des salles, des appartemens & des galleries, & en celuy-ci qui n'est pas d'une fort grande étenduë pour les bâtimens, tout y est si bien ménagé, que rien n'y est inutile, & le vestibule sert à plusieurs choses. Premierement, il est, comme vous le voiez, selon son usage naturel un passage pour aller aux appartemens bas, & pour entrer dans les jardins ; & par-dessus cela, le Roi, quand il luy plaist, en fait un lieu tres-commode pour la Comédie. Le theâtre est dans l'un des enfoncemens, & les violons dans l'autre, sans embarrasser l'assemblée, & on y donne mesme le bal : & quand on veut, en fermant ces deux enfoncemens, avec un lambris qui se met & s'oste facilement, ce font deux agréables chambres & un vestibule.

Mlle de Scudéry,
la Promenade de Versailles, 1669

Un savant pédagogue

Car ce château que Loüis XIII avoit fait bastir n'estoit composé alors que d'un corps de logis simple, de deux aisles, & de quatre pavillons.

Cependant comme sa Majesté a eu cette pieté pour la memoire du feu Roy son pere de ne rien abatre de ce qu'il avoit fait bastir, tout ce que l'on y a adjoûté n'empesche point qu'on ne voye l'ancien palais tel qu'il estoit autrefois, excepté que l'on a pavé la cour de marbre, qu'on l'a enrichie de fontaines & de figures, qu'on a orné les encoigneures de volieres, & les faces de balcons dorez ; & qu'enfin l'on en a embelly toutes les parties. Toutes les figures & les ornemens qu'on y voit n'estant point placez au hazard, ils ont relation, ou au Soleil, ou aux lieux particuliers où ils sont mis. C'est pourquoy comme ces deux aisles de la grande cour sont particulierement destinées aux offices de la Bouche, ceux qui ont la conduite de ces grands ouvrages ont fait representer les quatre elemens sur le haut des portiques de ces deux aisles, puis qu'à l'envy l'un de l'autre ils fournissent ces offices de tout ce qu'ils ont de plus exquis pour la nourriture des hommes. Toutes les pièces sont pavées de differentes sortes de marbre.

De sorte qu'à mesure qu'on passe d'une chambre dans une autre, on y voit plus de richesse, soit dans les marbres, soit dans la sculpture, soit dans les peintures qui embelissent les plafonds.

Lors qu'on a monté l'escalier qui a deux rampes, l'on entre dans sept autres pieces de plain-pied qui sont toutes diversement ornées de peintures & de marbres de differentes especes. Toutes ces pieces sont parquetées de menuiserie; & les portes doivent estre de bronze doré travaillées à jour. Les plafonds doivent estre enrichis de peintures par les meilleurs peintres de l'Academie royale. Et comme le Soleil est la devise du Roy, l'on a pris les sept planetes pour servir de sujet aux tableaux des sept pieces de cet appartement. De sorte que dans chacune on y doit representer les actions des heros de l'Antiquité, qui auront rapport à chacune des planetes & aux actions de Sa Majesté.

A. Félibien,
*Description sommaire
du chasteau de Versailles*, 1674

Ce soir, il y a Appartement

J'allai donc pour voir le Grand Appartement du Roi nouvellement bâti, l'assemblée nombreuse et les illuminations qui s'y font trois fois la semaine, dont j'avais ouï tant faire de bruit. Rien ne peut être plus beau dans le monde, plus magnifique, ni plus surprenant. Le vestibule, la salle, les chambres, la galerie et le cabinet qui est au fond, sont d'une longueur infinie;

figurez-vous quel est l'éclat de cent mille bougies dans cette grande suite d'appartements; je crus que tout y était embrasé, car un grand soleil au mois de juillet est moins étincelant. Les ameublements d'or et d'argent avaient encore leur éclat particulier, comme la dorure et les marbres. Toutes les décorations y étaient somptueuses. [...]

Au Grand Appartement, où la fine fleur de la Cour était assemblée [...], un nombre infini de gens de qualité superbement vêtus n'y laissaient guère de place vide. Je me trouvai, au milieu de cette pompe, le seul homme venu de l'Université, accoutumé à la retraite.

Ce qui me surprit le plus, c'est la chambre qui était pleine de tables couvertes de dés et de cartes [...]. La foule était épaisse, mais sans aucun bruit ni tumulte; le lieu est auguste qui imprime du respect et principalement la personne du Roi, qui était près de là, où il y avait un billard d'une grandeur extraordinaire. [...] La justesse du Roi à exécuter tout ce qu'il a judicieusement pensé est incompréhensible. Qui que ce soit ne lui résiste [...].

De là, je passai dans une salle qui enchante par tous les objets qui se présentent aux yeux. Le trône du Roi y est élevé. [...] Mais le grand objet où était le charme, c'est le Roi. Il n'était pas sur son trône; il y avait trois carreaux sur le bord de l'estrade; je fus étonné qu'il se fût assis là sans façon. [...] J'admirais les airs que Sa Majesté commandait que l'on chantât; ils étaient bien choisis, touchants et d'une belle composition; Sa Majesté y prenait plaisir et témoignait être satisfaite que toute la troupe fût contente, parlant familièrement à ceux qui se trouvaient près de sa personne.

P. Michon, *Relation des assemblées
faites à Versailles...*, 1683

Rêverie d'un poète embastillé

LA SALLE D'APOLLON

DANS LES GRANDS APPARTEMENTS

DU CHASTEAU DE VERSAILLES

Je suis de tous les lieux de ce Palais charmant,
Le plus riche en ameublement;
Son précieux éclat nuit & jour m'environne,
Et dans mon accompagnement,
Tout répond à l'emploi comme au nom qu'on me donne.
Enfin, Mortel, je suis cette Chambre du Trône,
Où LOUIS avec pompe, avec gloire & grandeur,
Comme un Soleil brillant de sa propre splendeur,
Vient prendre quelquefois séance,
Pour accorder une audience […]
Un marbre Egyptien compose mes lambris.
Ma Tapisserie est d'un prix
Que l'on peut dire inestimable […]
Le Soleil étant le sujet
De ces differentes peintures,
Et duquel ce Plafond a reçu les Figures,
Et Louis étant un objet
De sa noble & douce influence,
Dont il a les vertus avec la qualité;
C'est par rapport, Passant, à cette ressemblance,
Que dans quatre Tableaux on a representé,
Dans l'un la Magnanimité,
Dans l'autre la Magnificence.
Le Tableau de la face […]
Figure aux yeux Coriolan,
Dont le grand cœur fléchit aux larmes de sa mère.
Sur les fenêtres on a peint
Le mémorable fait du vaillant Alexandre;
On voit que pour Porus son grand cœur devient tendre;
Que dans son malheur il le plaint,
Et que pour mieux lui faire entendre,
Il console ce Roi dans le coup qui l'atteint,
Par les Etats qu'il lui fait rendre.
L'un & l'autre exemples ont rapport
Au magnanime cœur de notre Grand Monarque.

J. B. de Monicart,
Versailles immortalisé par les merveilles parlantes, 1720

Grandes heures versaillaises

Les mémorialistes racontent la vie publique des princes… et leurs émotions! Un roi manque y être assassiné en sortant de son appartement, et 1789 commence à Versailles.

L'audience publique donnée par le roi à l'ambassadeur de Turquie dans la galerie des Glaces en 1742.

Visite de Pierre le Grand

Lundi 24 (mai). – Le czar alla l'après-dînée à Versailles, où il demeurera quelques jours. Il descendit au grand degré de marbre ; il parut surpris de la galerie et de la chapelle. On lui a préparé l'appartement de madame la Dauphine, et il couchera dans la communication que M. le duc de Bourgogne avoit faite de l'antichambre du roi à cet appartement. Le maréchal de Tessé, qui avait suivi le czar jusqu'à Versailles, le laissa entre les mains de M. le duc d'Antin et revint ici le soir.

Mardi 25. – Le czar vit Versailles, Trianon et la Ménagerie, et avant l'heure qu'il avoit donnée à M. d'Antin il avoit déjà traversé les jardins à pied et s'étoit embarqué sur le canal. On prétend que des gens de sa suite ont mené des demoiselles ; qu'ils les ont même fait coucher dans l'appartement

qu'occupoit Mme de Maintenon. Blouin, capitaine de Versailles, et tous les gens du roi qui ont vu cela en ont été fort scandalisés.

Mercredi 26. – Le czar alla à Marly et à la machine, où il fut fort longtemps.

Dangeau,
Journal, 1717

Louis XV est victime d'un attentat manqué. Les Mémoires du duc de Croÿ et ceux de Dufort de Cheverny relate l'événement. Tous deux rendent hommage au courage du roi.

L'attentat de Damiens (1757)

Comme il descendait la dernière marche de la petite salle des gardes pour monter en carrosse [...] un homme s'élance entre deux gardes qu'il fait tourner, l'un à droite, l'autre à gauche, fait tourner aussi un officier des gardes en le poussant vivement, et vient un peu par derrière frapper de toute sa force le Roi au côté droit, avec un couteau à canif, et si fort que le bout du couteau fait pencher le Roi en avant, et lui fait dire : « Duc d'Ayen, on vient de me donner un coup de poing. » L'homme exécute cela avec tant de promptitude qu'il rentre par la trouée qu'il a faite avant que ceux qu'il a presque culbutés soient remis, et personne ne voit le coup, tant à cause des flambeaux que parce qu'on regardait à ses pieds à la dernière marche. Sur le propos du Roi, le maréchal de Richelieu, qui était aussi derrière, dit : « Qu'est-ce que c'est que cet homme avec son chapeau ? » Le Roi tourna la tête, et voyant que c'était du côté où il avait senti le coup, et y ayant porté la main qu'il avait retirée pleine de sang, dit : « Je suis blessé ! Qu'on arrête cet homme et qu'on ne le tue pas. » Un valet de pied, qui tenait la portière, voit couler du sang et s'écrie : « Le Roi est blessé ! » On saute au collet

L'interrogatoire de Damiens.

de l'homme et le Roi retourne sur ses pas. On veut l'emporter, il dit : « Non, j'ai encore la force de monter » ; et il remonte effectivement son escalier, ayant jusque-là marqué beaucoup de courage et de présence d'esprit.

Duc de Croÿ,
Mémoires

Je montai dans le Cabinet du Roi ; c'était ma place. J'y trouvai le service personnel comme médecins et chirurgiens... C'était une nuée d'habits noirs à n'en plus finir ; toutes les pièces en étaient pleines. [...] Le canif à deux lames était encore sur la cheminée du Conseil ; nous le maniâmes tous... [...]

C'est une grande cérémonie que le bouillon qu'on donne à un roi malade ; toutes les trois heures, il arrive à l'heure dite ; il est déposé sur la table de marbre, gardé par le Premier maître d'hôtel, goûté par l'échanson et le médecin. L'huissier annonce le bouillon du Roi ; on ouvre la porte de la Chambre, ceux qui sont dans le Cabinet le suivent. Le Premier médecin, le Premier gentilhomme se trouvent dans la Chambre. Nous suivîmes ; le Roi était couché dans ses doubles rideaux, la chambre fort éclairée, le lit fort noir ; nous ne vîmes que son bras qu'il avança ; il n'ouvrit

pas la bouche, et l'huissier de dire :
« Messieurs, retirez-vous. »

Cependant le Roi commençait à se
lever et paraissait dans son Cabinet,
choisissant le temps où il y avait le
moins de monde. Le train de l'intérieur
de ses pièces recommença ; [...]

Ces tristes étiquettes durèrent plus de
douze jours.

Dufort de Cheverny,
Mémoires

L'affaire du collier

*Une « affaire » dont Marie-Antoinette ne
se remettra pas, celle du collier qu'elle n'a
pas voulu acheter, parce que trop cher.*

Vous aurez déjà su, mon cher frère, la
catastrophe du cardinal de Rohan. Je
profite du courrier de M. de Vergennes
pour vous en faire un petit abrégé. Le

L'« Autrichienne », désinvolte et dépensière, catalysa sur elle la vindicte populaire.

cardinal est convenu d'avoir acheté en
mon nom et de s'être servi d'une
signature qu'il a cru la mienne pour un
collier de diamants de 1 600 000 francs.
Il prétend avoir été trompé par une
dame Valois de La Motte. Cette
intrigante du plus bas étage n'a nulle
place ici et n'a jamais eu accès auprès de
moi. Elle est depuis deux jours à la
Bastille et, quoique, par son premier
interrogatoire, elle convienne d'avoir
eu beaucoup de relations avec le
cardinal, elle nie formellement d'avoir
eu aucune part au marché du collier. Il
est à observer que les articles du marché
sont écrits de la main du cardinal ; à
côté de chacun, le mot « approuvé », de
la même écriture que [celle] qui a signé
au bas : « Marie-Antoinette de France ».
On présume que la signature est de
ladite Valois de La Motte. On l'a
comparée avec des lettres qui sont
certainement de sa main ; on n'a pris
nulle peine pour contrefaire mon
écriture, car elle ne lui ressemble en rien
et je n'ai jamais signé « de France ».
C'est un étrange roman aux yeux de

tout ce pays-ci que de vouloir supposer
que j'aie pu vouloir donner une
commission secrète au cardinal. Tout
avait été concerté entre le roi et moi, et
les ministres n'en ont rien su qu'au
moment où le roi a fait venir le cardinal
et l'a interrogé en présence du garde des
sceaux et du baron de Breteuil. J'y étais
aussi et j'ai été réellement touchée de la
raison et de la fermeté que le roi a mises
dans cette rude séance. Dans le moment
où le cardinal suppliait pour n'être
pas arrêté, le roi a répondu qu'il ne
pouvait y consentir ni comme roi ni
comme mari. J'espère que cette affaire
sera bientôt terminée ; mais je ne sais
encore si elle sera renvoyée au
Parlement ou si le coupable et sa famille
s'en rapporteront à la clémence du roi ;
dans tous les cas, je désire que cette
horreur et tous ses détails soient bien
éclaircis aux yeux de tout le monde.

Marie-Antoinette,
lettre à son frère l'empereur Joseph II,
1785,
F. Mossiker,
in le Collier de la reine, 1963

Versailles «capitale»

Après la défaite française de 1870, Napoléon III démissionne et la République est proclamée. Face aux insurrections de la Commune, le gouvernement se replie à Versailles.

Le 10 mars 1871, l'Assemblée vote son transfert à Versailles, par 427 voix contre 154, la prochaine séance étant fixée au 30 mars. Les députés siégeront désormais dans l'ancien Opéra du château. [...]

La population de Versailles s'élève en quelques jours de 40 000 à 150 000 habitants. Les députés et sénateurs qui ne peuvent trouver domicile chez des particuliers ou dans les hôtels surpeuplés [...] ménagent dans la Galerie des Glaces des logements de fortune [...]. Les ministres gîtent dans les chambres royales [...].

Exécutif et législatif

Le chef du pouvoir exécutif s'est installé, depuis le 18 mars 1871, dans une partie de la préfecture, l'«hôtel» qui sera la résidence des présidents de la République : Thier, Mac-Mahon et Jules Grévy, jusqu'en 1879.

Le Conseil général siège alors au château, dans la salle des Maréchaux et des connétables de l'aile du Midi.

Néanmoins, la Présidence n'occupe pas toute la préfecture, mais seulement l'«hôtel» et le pavillon du Secrétaire général, les bureaux situés entre l'«hôtel» et la place André-Mignot conservant leur affectation. [...]

Par décision de l'Assemblée nationale, les deux chambres créées par la Constitution, Sénat et Chambre des députés, siègent à Versailles. Une salle est construite pour les députés en 1876, 2, rue de la Bibliothèque (rue de l'Indépendance-Américaine), dans une cour de l'aile du Midi, mais le Sénat tient toujours ses séances à l'Opéra, les deux chambres devant se réunir dans la salle de la rue de la Bibliothèque quand elles siègent en congrès.

Quelques parlementaires résident encore à Versailles : Batbie, au 8, boulevard du Roi, Wallon, rue Maurepas, actuelle rue Gallieni, Edgar Quinet, 77, boulevard de la Reine. Mais le grand nombre habite Paris. Et les Versaillais regardent passer, avec un sourire amusé, l'équipage du député de la Sarthe, M. de la Rochefoucauld-Bisaccia, domicilié à Paris, 47, rue de Varennes, qui se rend à l'Assemblée dans une calèche tirée par quatre petits chevaux, avec deux grooms par derrière. Moins favorisés, ses collègues ont recours au chemin de fer. Un dessin humoristique représente les députés en marche vers la gare, sous la bourrasque. Cependant, un «tramway parlementaire», à chevaux, assure quatre services quotidiens depuis les gares Rive droite, par l'avenue de Saint-Cloud, et Rive gauche, par l'avenue de Sceaux, au Sénat (rue des Réservoirs) et à la chambre (rue de la Bibliothèque). Ce service sera assuré jusqu'au retour du Parlement à Paris, en 1879. [...]

Les deux chambres, réunies en congrès, dans la sall de la rue de la Bibliothèque, le 19 juin 1879, décident de rentrer à Paris. La loi du 22 juillet ratifie ce vote.

Les chambres siègent pour la dernière fois le 2 août 1879 à Versailles. Elles n'y retourneront, réunies en congrès, que pour l'élection des présidents de la République ou la révision de la Constitution.

E. et M. Houth,
Versailles aux trois visages, 1980

Un guide royal pour les jardins

Louis XIV écrit lui-même un itinéraire de ses jardins. N'est-ce pas pour montrer que l'immense effort accompli pour leur seule beauté vaut la splendeur que tous admirent à l'intérieur du château ? Il existe six versions de « Manière de montrer les jardins » rédigées entre 1689 et 1715. Toutes présentent une succession d'ordres laconiques censés amener le promeneur à appréhender, de pauses en points de vue, la grandeur du site.

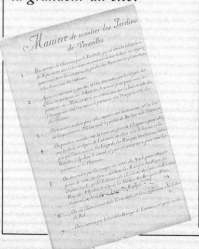

« Manière de montrer les jardins »

1. En sortant du chasteau par le vestibule de la Cour de marbre, on ira sur la terrasse ; il faut s'arrester sur le haut des degrez pour considérer la situation des parterres des pièces d'eau et les fontaines des Cabinets.

2. Il faut ensuite aller droit sur le haut de Latonne et faire une pause pour considérer Latonne, les lésars, les rampes, les statues, l'allée royalle, l'Apollon, le canal, et puis se tourner pour voir le parterre et le château.

3. Il faut après tourner à gauche pour aller passer entre les Sfinx ; en marchant il faut faire une pause devant le Cabinet pour considérer la gerbe et la nappe ; en arrivant aux Sfinx on fera une pause pour voir le parterre du midy, et après on ira droit sur le haut de l'Orangerie d'où l'on verra le parterre des orangers et le lac des Suisses. [...]

5. On descendra par la rampe droite de l'Orangerie et l'on passera dans le jardin des orangers, on ira droit à la fontaine d'où l'on considérera l'Orangerie, on passera dans les allées des grands orangers, puis dans l'Orangerie couverte, et l'on sortira par le vestibule du costé du Labirinte.

6. On entrera dans le Labirinte, et après avoir descendu jusques aux canes et au chien, on remontera pour en sortir du costé de Bachus.

7. On ira voir la salle du Bal, on en fera le tour, on ira dans le centre et l'on en sortira par le bas de la rampe de Latonne.

8. On ira droit au point de veüe du bas de Latonne, et en passant on regardera la petite fontaine du satire qui est dans un des bosquets ; quand on sera au point de veüe, on y fera une pause pour considérer les rampes, les vases, les statues, les Lésars, Latonne et le chasteau ; de l'autre costé, l'allée

royalle, l'Apollon, le canal, les gerbes des bosquets, Flore, Saturne, à droite Cérès, à gauche Bachus. [...]

12. On entrera dans la Colonade, on ira dans le milieu, où l'on en fera le tour pour considérer les colonnes, les ceintres, les bas reliefs et les bassins. En sortant on s'arrestera pour voir le groupe de Guidy et l'on ira du costé de l'allée royalle.

13. On descendra à l'Apollon, où l'on fera une pause pour considérer les figures, les vases de l'allée royalle, Latonne et le chasteau ; on verra aussi le canal. [...]

15. On passera par Lancellade, où l'on ne fera qu'un demy-tour, et après l'avoir considéré, on en sortira par en bas.

16. On entrera à la salle du Conseil, on remontera jusqu'à Flore, on en fera le demy-tour [...]

« On se tournera sur le haut du degré pour voir le parterre du nord, les statues, les vases, les couronnes, la Pyramide. »

18. On ira à Cérès pour aller au Théâtre, on verra les changements et l'on considérera les jets des arcades.

19. On sortira par le bas de la rampe du Nort, et l'on entrera au Marais, on en fera le tour.

20. On entrera aux Trois Fontaines par en haut, on descendra, et après avoir considéré les fontaines des trois étages, l'on sortira par l'allée qui va au Dragon.

21. On tournera autour du Dragon, et l'on fera considérer les jets et la pièce de Neptune.

22. On ira à l'Arc de Triomphe, l'on remarquera la diversité des fontaines, des jets, des napes et des cuves, des figures et les différents effets d'eau.

23. On resortira par le Dragon, on passera par l'allée des Enfans, et quand on sera sur la pierre qui est entre les deux bassins d'en bas, on se tournera pour voir d'un coup d'œil tous les jets de Neptune et du Dragon ; on continuera en suite de monter par ladite allée.

24. On s'arrestera au bas de la nape, et l'on fera voir les bas reliefs et le reste de cette fontaine.

25. On passera après la Piramide, où l'on s'arrestera un moment, et après on remontera au chasteau par le degré de marbre qui est entre l'Esguiseur et la Vénus honteuse, on se tournera sur le haut du degré pour voir le parterre du Nort, les statües, les vases, les couronnes, la Piramide et ce qu'on peut voir de Neptune, et après on sortira du jardin par la mesme porte par où l'on est entré.

Quand on voudra voir le mesme jour la Ménagerie et Trianon, après avoir fait la pause auprès d'Apollon, on ira s'embarquer pour aller à la Ménagerie.

En montant sur l'amphithéâtre, on fera une pause pour considérer le canal et ce qui le termine du costé de Trianon.

On ira dans le salon du milieu.

On entrera dans toutes les cours où sont les animaux.

Après on se rembarquera pour aller à Trianon.

En arrivant, on montera par les rampes, on fera une pause en haut, et l'on fera remarquer les trois jets, le canal et le bout du costé de la Ménagerie.

On ira droit à la fontaine du milieu du parterre bas, d'où l'on montrera la maison.

Après l'on ira la voir par dedans, on entrera dans le péristile, on y remarquera la veüe de l'advenue, et du jardin l'on verra la Cour ; après on ira dans le reste de la maison jusques au salon du haut de la gallerie.

On reviendra par le mesme salon du bout de la gallerie pour entrer dans les Sources.

Et après on passera dans la gallerie pour aller à Trianon sous bois.

On ira jusques sur la terrasse du haut de la cascade, et puis on viendra sortir par le salon du bout de la gallerie du costé du bois.

On ira le long de la terrasse jusques à l'angle ; d'où l'on voit le canal, on tournera après au cabinet du bout de l'aisle d'où l'on verra le chasteau, les bois et le canal.

On en sortira et l'on passera le long du corps du logis du costé des offices et l'on ira jusqu'à l'allée du milieu.

Quand on sera dans le centre de la maison, on fera voir l'obscurité du bois, le grand jet et la Nape au travers de l'ombre.

On descendra droit au parterre de gazon, on s'arrestera au bas de l'allée obscure pour considérer les jets qui l'environnent.

On ira passer à la fontaine qui est

❝ On se tournera pour voir d'un coup d'œil tous les jets de Neptune et du Dragon. **❞**

dans le petit bosquet pour aller à la cascade basse.

On remontera le long de l'allée jusques à la haute.

Et après on ira traverser le parterre bas par l'allée qui va au fer à cheval.

On en descendra pour rentrer dans les batteaux pour aller à l'Apollon.

Après on reprendra l'allée qui va à Flore, on ira aux bains d'Apollon et l'on verra le reste ainsy qu'il est marqué cy dessus.

Louis XIV

Promenades d'écrivains

Un lieu qui fait rêver et écrire dès l'origine. Mais, semble-t-il, dès que la fête disparaît, la description se fait plus sèche. Lieu magique par intermittence ?

« Un enchantement »

Je reviens de Versailles. J'ai vu les beaux appartements ; j'en suis charmée. Si j'avais lu cela dans quelque roman, je me ferais un château en Espagne d'en voir la vérité. Je l'ai vue et maniée ; c'est un enchantement, c'est une véritable liberté, ce n'est point une illusion comme je le pensais. Tout est grand, tout est magnifique, et la musique et la danse sont dans leur perfection... Mais ce qui plaît souverainement, c'est de vivre quatre heures entières avec le souverain, être dans ses plaisirs et lui dans les nôtres ; c'est assez pour contenter tout un royaume qui aime passionnément à voir son maître. Je ne sais à qui cette pensée est venue ; mais Dieu la bénisse, cette personne ! En vérité, je vous y souhaitai. J'étais nouvelle venue ; on se fit un plaisir de me montrer toutes les raretés et de me mener partout ; je ne me suis point repentie de ce petit voyage.

Mme de Sévigné,
Lettre au comte de Guitaut, 1683

L'Escalier du parc de Versailles, par Eugène Lami.

Dans la grotte de Théthys

Dans le fond de la Grotte, une arcade est remplie
De marbres à qui l'art a donné de la vie...
Quand le Soleil est las et qu'il a fait sa tâche,
Il descend chez Théthys et prend quelque relâche ;
C'est ainsi que Louis s'en va se délasser
D'un soin que tous les jours il faut recommencer...
Ce dieu, se reposant sous ces voûtes humides,
Est assis au milieu d'un chœur de Néréides...
Doris verse de l'eau sur la main qu'il lui tend ;
Chloé dans un bassin reçoit l'eau qu'il répand ;
A lui laver les pieds Mélicerte s'applique ;
Delphire entre ses bras tient un vase à l'antique ;
Climène auprès du dieu pousse en vain des soupirs...,
Rougit, autant que peut rougir une statue.
Ce sont des mouvements qu'au défaut du sculpteur
Je veux faire passer dans l'esprit du lecteur...
Les coursiers de Phébus, aux flambantes narines,
Respirent l'ambroisie en des grottes voisines.
Les Tritons en ont soin ; l'ouvrage est si parfait
Qu'ils semblent panteler du chemin qu'ils ont fait.

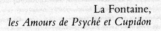

La Fontaine,
les Amours de Psyché et Cupidon

Sur trois marches
de marbre rose

Depuis qu'Adam, ce cruel homme,
A perdu son fameux jardin,
Où sa femme, autour d'une pomme,
Gambadait sans vertugadin,
Je ne crois pas que sur la terre
Il soit un lieu d'arbres planté
Plus célébré, plus visité,
Mieux fait, plus joli, mieux hanté,
Mieux exercé dans l'art de plaire,
Plus examiné, plus vanté,
Plus décrit, plus lu, plus chanté,
Que l'ennuyeux parc de Versailles.
O dieux ! ô bergers ! ô rocailles !
Vieux Satyres, Termes grognons,
Vieux petits ifs en rangs d'oignons,
O bassins, quinconces, charmilles !
Boulingrins pleins de majesté,
Où les dimanches, tout l'été,
Bâillent tant d'honnêtes familles !

Fantômes d'empereurs romains,
Pâles nymphes inanimées
Qui tendez aux passants les mains,
Par des jets d'eau tout enrhumées !
Tourniquets d'aimables buissons,
Bosquets tondus où les fauvettes
Cherchent en pleurant leurs chansons,
Où les dieux font tant de façons
Pour vivre à sec dans leurs cuvettes !
O marronniers ! n'ayez pas peur ;
Que votre feuillage immobile,
Me sachant versificateur,
N'en demeure pas moins tranquille.
Non, j'en jure par Apollon
Et par tout le sacré vallon,
Par vous, Naïades ébréchées,
Sur trois cailloux si mal couchées,
Par vous, vieux maîtres de ballets,
Faunes dansant sur la verdure,
Par toi-même, auguste palais,
Qu'on n'habite plus qu'en peinture,

Par Neptune, sa fourche au poing,
Non, je ne vous décrirai point.
Je sais trop ce qui vous chagrine ;
De Phœbus je vois les effets :
Ce sont les vers qu'on vous a faits
Qui vous donnent si triste mine.
Tant de sonnets, de madrigaux,
Tant de ballades, de rondeaux,
Où l'on célébrait vos merveilles,
Vous ont assourdi les oreilles,
Et l'on voit bien que vous dormez
Pour avoir été trop rimés.
En ces lieux où l'ennui repose,
Par respect aussi j'ai dormi.
Ce n'était, je crois, qu'à demi :
Je rêvais à quelque autre chose.
Mais vous souvient-il, mon ami,
De ces marches de marbre rose,
En allant à la pièce d'eau
Du côté de l'Orangerie,
A gauche, en sortant du château ?
C'était par là, je le parie,
Que venait le roi sans pareil,
Le soir, au coucher du soleil,
Voir dans la forêt, en silence,
Le jour s'enfuir et se cacher
(Si toutefois en sa présence
Le soleil osait se coucher).
Que ces trois marches sont jolies !
Combien ce marbre est noble et doux !
Maudit soit du ciel, disions-nous,
Le pied qui les aurait salies !
N'est-il pas vrai ? Souvenez-vous.

— Avec quel charme est nuancée
Cette dalle à moitié cassée !
Voyez-vous ces veines d'azur,
Légères, fines et polies,
Courant, sous les roses pâlie
Dans la blancheur d'un marbre pur ?
Tel, dans le sein robuste et dur
De la Diane chasseresse,
Devait courir un sang divin ;
Telle, et plus froide, est une main
Qui me menait naguère en laisse.
N'allez pas, du reste, oublier
Que ces marches dont j'ai mémoire
Ne sont pas dans cet escalier
Toujours désert et plein de gloire,
Où ce roi, qui n'attendait pas,
Attendit un jour, pas à pas,
Condé, lassé par la victoire.
Elles sont près d'un vase blanc,
Proprement fait et fort galant.
Est-il moderne ? est-il antique ?
D'autres que moi savent cela ;
Mais j'aime assez à le voir là,
Étant sûr qu'il n'est point gothique.
C'est un bon vase, un bon voisin ;
Je le crois volontiers cousin
De mes marches couleur de rose ;
Il les abrite avec fierté.
O mon Dieu ! dans si peu de chose
Que de grâce et que de beauté !

Alfred de Musset,
Poésies nouvelles

*V*ue du château de Versailles en 1844, par Ricois.

Édouard Vuillard : la chapelle du château de Versailles.

Promenade d'Albertine

Le charmant mécanicien apostolique sourit finement, la main posée sur sa roue en forme de croix de consécration. Puis il me dit ces paroles qui (chassant les inquiétudes de mon cœur où elles furent aussitôt remplacées par la joie) me donnèrent envie de lui sauter au cou : « N'ayez crainte, me dit-il. Il ne peut rien lui arriver car, quand mon volant ne la promène pas, mon œil la suit partout. A Versailles sans avoir l'air de rien j'ai visité la ville pour ainsi dire avec elle. Des Réservoirs elle est allée au château, du château aux Trianons, toujours moi la suivant sans avoir l'air de la voir et le plus fort c'est qu'elle ne m'a pas vu. Oh ! elle m'aurait vu ç'aurait été un petit malheur. C'était si naturel qu'ayant toute la journée devant moi à rien faire je visite aussi le château. D'autant plus que Mademoiselle n'a certainement pas été

sans remarquer que j'ai de la lecture et que je m'intéresse à toutes les vieilles curiosités (c'était vrai, j'aurais même été surpris si j'avais su qu'il était ami de Morel, tant il dépassait le violoniste en finesse et en goût). Mais enfin elle ne m'a pas vu. » – « Elle a dû rencontrer du reste des amies car elle en a plusieurs à Versailles. » – « Non elle était toujours seule. » – « On doit la regarder alors, une jeune fille éclatante et toute seule. » – « Sûr qu'on la regarde mais elle n'en sait quasiment rien ; elle est tout le temps les yeux dans son guide, puis levés sur les tableaux. » Le récit du chauffeur me sembla d'autant plus exact que c'était en effet une « carte » représentant le château et une autre représentant les Trianons qu'Albertine m'avait envoyées le jour de sa promenade. [...] Néanmoins pour en revenir à elle (après une si longue parenthèse) et à sa promenade à Versailles, les cartes postales de Versailles (peut-on donc avoir ainsi simultanément le cœur pris en écharpe par deux jalousies entrecroisées se rapportant chacune à une personne différente ?) me donnaient une impression un peu désagréable, chaque fois qu'en rangeant des papiers mes yeux tombaient sur elles. Et je songeais que si le mécanicien n'avait pas été un si brave homme, la concordance de son deuxième récit avec les « cartes » d'Albertine n'eût pas signifié grand-chose, car qu'est-ce qu'on vous envoie d'abord de Versailles sinon le château et les Trianons, à moins que la carte ne soit choisie par quelque raffiné amoureux d'une certaine statue, ou par quelque imbécile élisant comme vue la station du tramway à chevaux ou la gare des Chantiers.

Marcel Proust,
A la recherche du temps perdu
la prisonnière

La résurrection de Versailles

Restauration et réhabilitation sont l'affaire des XXe et XXIe siècles. Les conservateurs ont opté à la fois pour un Versailles musée et pour un Versailles château. Aujourd'hui, la chasse aux objets continue, tandis que naissent de nouveaux espoirs.

Versailles palais

Pierre de Nolhac a une vie de conservateur bien remplie : il écrit l'histoire de Versailles, de Nattier… retrouve quelques appartements princiers sous les transformations de Louis-Philippe et prépare la galerie des Glaces pour le traité de 1919.

J'ai vu détruire dans Versailles beaucoup de beauté et ces destructions dues à des architectes inconscients n'ont pas été sans ajouter des méfaits appréciables à ceux que la bonne volonté, mal dirigée, de Louis-Philippe, avait déjà infligés au château et aux jardins.

Il est de notoriété que le service architectural des palais nationaux est en conflit constant avec celui des musées ; incertitudes d'attributions, le plus souvent inaptitude à se comprendre entre gens de culture différente et de principes opposés. […]

Plus d'un témoin se souvient de telle séance mouvementée, au Château, où un pauvre conservateur tenait tête obstinément à l'Institut ou à la Villa Médicis. […]

Pour la bibliothèque du dauphin, le nettoyage faisait apparaître, sur les fleurettes sans nombre semées dans la sculpture des panneaux, des traces de coloris au naturel qui révélaient un délicat travail de vernis Martin exécuté dans cette pièce de choix pour le fils de Louis XV ; un document d'archives en attestait même la date. Mais l'architecte, alors en proie à une vraie furie de dorure, voulait dorer du haut en bas cette petite pièce et lui donner un aspect de richesse qu'elle n'a jamais eu. Ces fleurettes exquises, débris d'un art fréquemment employé dans les intérieurs d'autrefois, disparurent dès le premier jour sous un décapage brutal que rien ne justifiait. […]

Quelques statues symboliques du premier étage des avant-corps étaient rongées, et, bien qu'à distance leur silhouette conservât sa noblesse, on pouvait admettre l'utilité d'en refaire quelques-unes. Mais pourquoi, pour les descendre, les sciait-on en trois tronçons ? Je me plaignais un jour devant leur bourreau, d'un traitement barbare infligé à des œuvres payées jadis par les Bâtiments du roi à des maîtres célèbres. On m'interrompit dédaigneusement :

– Allons donc ! Vous ne ferez jamais croire que des sculpteurs connus aient travaillé à des statues placées si haut, et hors de la vue. Qu'on y mette n'importe quoi, l'effet sera le même…

P. de Nolhac, *La Résurrection de Versailles, souvenirs d'un conservateur (1887-1920)*, 1937

Une trouvaille bienvenue pour l'achèvement de la restauration de la chambre de la Reine

On doit à Gérald Van der Kemp, conservateur de Versailles de 1953 à 1980, la remise en état de la chambre de la Reine, des salles Empire, de la chambre du Roi, de la galerie des Glaces et de Trianon.

Cette chambre avait retrouvé les tissus de son alcôve exécutés à Lyon et évoquait par conséquent déjà ce que Marie-Antoinette avait vu le 6 octobre en partant pour Paris. Mais le lit manquait, or nous en avions des descriptions d'inventaires et nous avions les dessins aquarellés des soieries brodées à la main. […]

Avec ces éléments et les descriptions de l'inventaire, j'ai fait refaire à grandeur un ciel de lit, une impériale avec un coq sculpté de face battant des ailes, et, sur les côtés, en leur milieu, un aigle sculpté ; aux quatre coins du lit,

des amours assis avec des guirlandes de fleurs et des colombes qui s'embrassent.

[…] Dans les années 1958, 1959, un ami revient de New York avec une photographie en couleurs me disant : « Je crois que j'ai trouvé là quelque chose de très joli, c'est un dessus-de-lit du XVIIIe siècle. » Je l'ai reconnu, c'était le dessus-de-lit original de la chambre de la Reine, dont j'avais l'aquarelle et dont j'avais commandé la copie.

Entretien au magnétophone avec Gérald Van der Kemp, par Georges Bernier, *L'Œil*, 1966

Versailles, une nouvelle impulsion

Jean-Jacques Aillagon, ancien ministre, est depuis le 6 juin 2007 président de l'Établissement public du musée et du domaine national de Versailles.

Jean-Jacques Aillagon veut améliorer l'accueil des visiteurs.[…]. Ainsi de la restauration de la grande façade du château sur les jardins (9 millions d'euros, novembre 2008), du pavage de la cour d'honneur et du rétablissement de la Grille royale, qui a disparu depuis la période révolutionnaire, accompagnée de la restauration de la statue équestre de Louis XIV (10 millions d'euros, avril-juin 2008), de la mise en sécurité de l'Opéra royal (10 millions d'euros, livraison début 2009), de la rénovation des réseaux techniques et de la création d'un pôle énergétique (41 millions d'euros), de l'aménagement du Grand commun (25 millions d'euros, mai 2009), de la restauration du pavillon français et du Petit Trianon (5 millions d'euros, juillet et septembre 2008), de la restauration du pavillon frais (2 millions d'euros, 2009), de la restauration des bosquets des Bains d'Apollon et de la salle de bal (4,3 millions d'euros, 2009), et de la restauration des décors boisés du cabinet de la garde-robe de Louis XVI (été 2008)…

L'art contemporain n'est pas en reste avec la reconduction de «Versailles off», mais sur un nouveau mode. Chaque année, un seul plasticien sera convié à intervenir dans le château. Le premier sera Jeff Koons en octobre prochain, avant Xavier Veilhan en 2009. Un nouveau programme, «Rencontre», permettra à des personnalités de porter leur regard sur le château et le domaine. Ainsi, Karl Lagerfeld sera-t-il le premier invité du 5 mai au 6 juillet à inaugurer ce projet. De son côté, Daniel Buren s'est vu confier une réflexion pour une œuvre pérenne à réaliser sur le plafond de l'escalier [dit de] Gabriel.

Philippe Régnier, *Le Journal des Arts*,
4-17 janvier 2008

«Il faut de la cohérence»

Philippe Beaussant, de l'Académie française, musicologue et nouvelliste, est un expert en musique baroque française. Il est également le fondateur du Centre de musique baroque de Versailles.

Le Figaro.- Vous connaissez Versailles depuis votre enfance. Avez-vous le sentiment qu'il a beaucoup évolué?

Philippe Beaussant. – Le parc a beaucoup changé avec la restauration des bosquets. D'ailleurs certains regrettent l'ancien désordre romantique. Mais cela fait partie de la cohérence des choses, quand depuis la terrasse, on observe un ordre à la française. Quant au château, il est maintenant plus meublé mais il reste immuable. C'est toujours le Versailles de Louis XIV.

Le Figaro.- Le monument a-t-il toujours le même sens?

Philippe Beaussant. – Versailles, c'est la grandeur de Louis XIV. Ce personnage du Roi-Soleil est toujours là et il l'a fait pour ça, pour régner jusque dans la mémoire des Français. Et il a gagné. Alors, il y a une contradiction fondamentale, due à Louis-Philippe. Car dans cette demeure royale, il a pris sur lui de démolir les splendeurs d'appartements privés pour que tous les petits enfants de France puissent venir voir avec leur professeur, l'histoire depuis Clovis jusqu'à lui-même. En même temps, sans lui, le château aurait périclité. Il est d'ailleurs intéressant de voir qu'à l'idée presque exclusive, au XIXe, de musée a succédé la restitution du lieu de vie, qui a pris le pas mais sans jamais éliminer la précédente vision.

Maintenant il y a une troisième conception, qui est de voir Versailles comme un Disneyland à sa manière. Quand on organise des concerts pop ou que l'on met de l'art contemporain dans les jardins, ça n'a pas de sens. Il faut de la cohérence, et Versailles en a une.

Le Figaro.- Mais le monument est-il bien compris?

Philippe Beaussant. – Il a besoin d'être expliqué plus clairement. On a raison de vouloir consacrer un espace à cela. Cette histoire du petit château qui s'agrandit est passionnante. Mais ça ne veut pas dire qu'il faut faire un cours d'histoire à tous les touristes qui entrent.

Par ailleurs, Versailles est un lieu de musique. Au XVIIe, on en entendait tout le temps partout. Faut-il aujourd'hui à nouveau la rendre présente et dire aux touristes de faire silence quelques minutes pour leur faire entendre quelques notes? Pour moi, c'est une évidence.

Philippe Beaussant,
Le Figaro, 11 décembre 2007

La splendeur retrouvée de la galerie des Glaces au château de Versailles

Dès son achèvement en 1684, la galerie des Glaces eut à souffrir du manque de chauffage, des fuites d'eau, des suies grasses déposées par bougies et chandelles. Du XVIIIe au XXe siècle, elle fut l'objet de réparations partielles, en particulier sa voûte ou les peintures. Au XXIe siècle, les techniques de la restauration et les exigences scientifiques permettent d'entreprendre la restauration de ce chef-d'œuvre. En 2003, Antoine Zacharias, alors président de VINCI, initie un mécénat de compétence de 12 millions d'euros pour remplacer 700 m² de parquet, installer les gaines techniques, nettoyer marbres, lustres, bronzes dorés et sculptures, restaurer les peintures de la voûte. De 2003 à 2007, 40 entreprises, 100 intervenants et un conseil scientifique international permanent s'acharnent à démêler l'original du repeint, à arbitrer entre ce qu'il faut conserver et restaurer, ce qu'il convient de supprimer ou de restituer, pour conserver toute son homogénéité à cet ensemble. Vincent Guerre fut chargé de la restauration des glaces.

Les 21 glaces de chaque arcature, d'une dimension exceptionnelle, ont été réalisées par une manufacture située à Tourlaville […] et créée par Colbert pour concurrencer les produits de Venise.

La méthode d'étamage a été mise au point au XVe siècle : elle consistait à revêtir une plaque de verre d'un amalgame de mercure et d'étain. Le mercure assurait l'adhésion de l'étain, et s'évaporait en partie durant l'opération, rendant l'étamage dangereux pour les ouvriers, à cause des émanations nocives. À la fin de l'opération, la plaque de verre était inclinée afin d'enlever le mercure en excès : apparaissait alors une surface lustrée, le tain.

Pour les miroirs, la dernière intervention importante est datée des années 1830 : les verres ont tous été déposés, puis repolis et ré-étamés au mercure. Mais depuis le XIXe siècle la technique des miroirs a évolué : en 1836, le chimiste allemand Justus von Liebig a découvert l'argenture en recouvrant le verre d'une solution d'argent. Le verre au mercure a ensuite été interdit en France à partir de 1850.

Dans la galerie des Glaces, plusieurs miroirs ont été changés au fil des années, avec des miroirs sans mercure dont l'aspect métallique tranchait avec le reste de la galerie. Par ailleurs, l'humidité et les variations de température ont lentement oxydé les glaces : heureusement, la couche de tain s'était relativement bien conservée, parce qu'elle était bien protégée de l'air et de l'humidité par du parquet jointif au point de Hongrie ; en effet, la protection de la face arrière des glaces est un élément fondamental pour leur bonne conservation dans le temps.

Certaines glaces, trop oxydées ou mal restaurées, ont été remplacées par des verres anciens de même tonalité que la galerie, dont la teinte générale laiteuse présente des reflets bleutés et scintillants… La couleur du verre dépend surtout de la teinte du verre, et un peu de l'étamage. Selon les régions et les matériaux utilisés, la composition du verre n'était pas tout à fait la même. De plus, la nature du combustible brûlé dans les fours à bois variait selon le climat, allant du varech au chêne. La combustion de ces matériaux laissait dans le four des gaz variés, dont la nature influait sur la couleur définitive du verre… Ce sont 48 verres qui ont été changés en tout, sur les 357 que compte la galerie. Ces verres anciens sont recoupés au plus juste, pour laisser le moins de chutes possible.

Vincent Guerre, *Verre,* novembre 2007

CHRONOLOGIE DE LA CONSTRUCTION

1624 Louis XIII ordonne la construction, sur la petite colline de Versailles, d'un pavillon de chasse.

1631 Louis XIII demande à Philibert Le Roy la construction d'un petit château sur l'emplacement du pavillon de chasse. Boyceau et Menours sont chargés de dessiner les jardins.

1661 Louis XIV est séduit par Versailles. 1 500 000 livres sont dépensées pour rénover le décor des appartements, embellir les jardins et reconstruire les communs de Louis XIII.

1663 L'architecte Le Vau construit la première Orangerie et commence la Ménagerie.

1665 Apparition des premières statues dans les jardins. Les façades de la cour de Marbre sont ornées de bustes. Commencement de la grotte de Téthys.

1666 Inauguration des premières « grandes eaux ».

1667 On commence à creuser le Grand Canal.

1668 Adoption du projet de Le Vau pour agrandir le château, côté jardins, par une « enveloppe de pierre ».

1670 Création du Trianon de Porcelaine. Pose des huit premiers groupes de l'Allée d'eau. Apparition des premiers vaisseaux sur le Grand Canal.

1671 La construction de *l'enveloppe* est pratiquement terminée et on commence la décoration des Grands Appartements. De nombreuses statues sont installées dans les jardins.

1672 Commencement de l'appartement des Bains, au rez-de-chaussée du nouveau château. Début des travaux de l'escalier des Ambassadeurs.

1674 Année de la *grande commande* de 24 statues sculptées d'après des dessins de Le Brun et destinées aux jardins.

1678 J. H.-Mansart élabore des projets d'agrandissement du château : la terrasse sur les jardins est supprimée pour faire place à la galerie des Glaces. Achèvement de l'escalier des Ambassadeurs. Commencement de l'aile du Midi, du bassin de Neptune et de la pièce d'eau des Suisses.

1679 Début de la construction de la Grande et de la Petite Écurie. Les ailes des Ministres sont achevées ainsi que le décor des cours d'entrée.

1680 Création par La Quintinie du potager du Roi.

1681 Achèvement de la décoration des Grands Appartements. Construction d'une chapelle entre le château et la grotte de Téthys. Construction de la *Machine* de Marly.

1683 Le *Milon de Crotone*, de Puget, est placé à l'entrée du Tapis vert. Les premières statues de marbre de la « grande commande » viennent orner le parterre du Nord.

1684 Achèvement de la galerie des Glaces. Commandes, aux élèves de l'Académie de France à Rome, de copies de statues antiques pour les jardins. Début des travaux pour détourner les eaux de l'Eure sur Versailles. Construction de l'Orangerie par Mansart.

1685 Le *Persée et Andromède*, de Puget, est placé à l'entrée du Tapis vert. Début de la construction du bosquet de la Colonnade. Début de la construction de l'aile du Nord.

1686 La machine de Marly conduit les eaux de la Seine à Versailles.

1687 Construction du *Trianon de Marbre* par Mansart.

1689 En décembre, Louis XIV ordonne la fonte de son argenterie et de tout le mobilier d'argent de Versailles. Pose des groupes de bronze sur le parterre d'eau.

1699 Début de la construction de la nouvelle et dernière chapelle par Mansart. *L'Enlèvement de Proserpine* de Girardon est placé dans le bosquet de la Colonnade.

1706 Livraison de la pendule à automates de Morand placée dans le Salon de Mercure.

1710 La chapelle, par Robert de Cotte, est achevée.

1712 Début des travaux du Salon d'Hercule.

1729 Transformation du décor de la chambre de la Reine.

1736 Le 26 septembre, ouverture du salon d'Hercule.

1738 Début d'importants travaux dans les cabinets intérieurs par Gabriel.

1739   Livraison par l'ébéniste Gaudreaux de deux meubles fameux : la commode de la chambre de Louis XV et le médaillier du Cabinet intérieur.

1743   Renouvellement du mobilier des Grands Appartements et de la galerie des Glaces. Pose de la première pierre de la cathédrale Saint-Louis par Louis XV.

1747   Gabriel refait la décoration des appartements du dauphin et de la dauphine.

1749   Construction de la *Nouvelle Ménagerie* ou ferme de Louis XV à Trianon.

1750   À Trianon : aménagement du nouveau Potager, Gabriel élève le *Pavillon Français* et le *Salon frais ou pavillon du Treillage*. Louis XV achète la pendule astronomique de Passemant et Dauthiau.

1752   Destruction de l'escalier des Ambassadeurs. Gabriel décore l'appartement de Mme Adélaïde.

1755   Transformation du cabinet du Roi, ou salon du Conseil des ministres.

1759   Création et extension du Jardin botanique
1774   de Trianon sous la surveillance de Claude Richard et de Bernard de Jussieu.

1768   Achèvement du Petit Trianon.

1769   L'ancien appartement de Mme Adélaïde est annexé aux Cabinets intérieurs de Louis XV. Nouveaux aménagements dans les Petits Appartements du Roi où s'installe Mme du Barry. Livraison du secrétaire à cylindre d'Œben et de Riesener pour le Cabinet intérieur du Roi.

1770   Le 16 mai, ouverture de la salle d'opéra construite par Gabriel. Nouveau luminaire dans la galerie des Glaces.

1771   Projet de reconstruire les façades du château du côté de la ville : Gabriel commence l'Aile Louis XV.

1774   En décembre, tous les arbres sont abattus. Louis XVI ordonne la replantation complète du parc. Création d'une nouvelle bibliothèque dans les Cabinets intérieurs.

1777   Inauguration du jardin anglais à Trianon.

1778   Mique construit le théâtre de la Reine et le
1779   temple de l'Amour dans les jardins du Petit Trianon.

1781   Création de la *Méridienne* dans les Cabinets intérieurs de la Reine. Construction du pavillon du Belvédère à Trianon.

1783   Le Cabinet intérieur de la reine est redécoré par Mique. Début de la construction

du Hameau de Marie-Antoinette dans les jardins du Petit Trianon.

1786   Livraison par Riesener des meubles d'acajou pour le salon des Nobles de la Reine à Versailles.

1787   Construction de l'arc de triomphe de la Porte Saint-Antoine. Nouveau décor pour le boudoir de la reine au Petit Trianon. Livraison par Jacob du mobilier *aux épis* pour la chambre de la Reine au Petit Trianon.

1789   En octobre, après le départ du roi, on commence à démeubler les pièces principales du château pour mettre les meubles à l'abri, ou les transporter à Paris au palais des Tuileries.

1792   Le 20 octobre, sur la proposition du député Roland, la Convention ordonne la vente d'une grande partie du mobilier royal. Les œuvres d'art sont conservées par l'État.

1793   En novembre, installation dans les Grands Appartements et au premier étage de l'aile du Nord d'un musée spécial de l'Ecole française. Dans le même temps, création d'un Muséum d'histoire naturelle au rez-de-chaussée de l'aile du Nord.

1800   Installation d'une annexe de l'Hôtel des Invalides dans les Cabinets intérieurs de Louis XV, les ailes du Midi et des Ministres.

1806   Napoléon Ier fait étudier des projets de
1807   restauration et d'agrandissement du château dont il compte faire sa résidence.

1810   Début d'importants travaux de restauration s'étendant à tout l'ancien domaine royal (l'Empereur dépensera ainsi 6 millions de francs).

1814   Louis XVIII fait entreprendre la « remise
1820   en état d'habitation » des appartements du château. Six autres millions de francs seront dépensés qui permettront, entre autres travaux, l'achèvement du pavillon Dufour, commencé par Napoléon.

1833   L'architecte Nepveu entreprend de grands travaux à l'intérieur du palais pour la création du musée. Tous les appartements, sauf ceux du premier étage du corps central, seront dévastés ou détruits.

1837   Fêtes d'inauguration du musée dédié « À toutes les gloires de la France ». C'est un immense succès : jusqu'à vingt mille visiteurs s'y pressent chaque dimanche.

1871   L'empire d'Allemagne est proclamé dans la galerie des Glaces. L'assemblée nationale siège dans le théâtre de Gabriel.

Depuis lors, Versailles, qui reste un musée, abrite certains grands rendez-vous de la République.

1875 La Chambre des députés occupe une nouvelle salle construite dans l'aile du Midi par Edmond de Joly (actuelle salle du Congrès) ; le Sénat s'installe dans le théâtre de Gabriel.

1879 Retour des chambres à Paris. Les présidents de la IIIe et de la IVe République continueront d'être élus à Versailles. La Ve y réunira le Congrès.

1919 Signature, dans la galerie des Glaces, du Traité de Versailles mettant fin à la Première Guerre mondiale.

1957 Réhabilitation du théâtre de Gabriel où sont régulièrement donnés des spectacles musicaux, dont le fameux *Atys* de Lulli, en 1988.

BIBLIOGRAPHIE

Ouvrages anciens

- Orléans, Charlotte Élisabeth de Bavière (1652-1722), duchesse d', *Lettres de Madame, duchesse d'Orléans, princesse Palatine,* Olivier Amiel éd., Mercure de France, 1981.
- Thomassin, S., *Recueil des figures, groupes, thermes, fontaines, vases et autres ornements tels qu'ils se voyent à présent dans le château et parc de Versailles,* 1694.
- Félibien. A., *Description sommaire du chasteau de Versailles,* Paris, 1696.
- Piganiol de la Force, *Nouvelles Descriptions des chasteaux et parc de Versailles et de Marly,* 1701.
- Dangeau, marquis de (1638-1720), *Journal,* éd. Soulié et Dussieux, 1854-1860, 19 vol.
- Saint-Simon, duc de (1675-1755), *Mémoires,* éd. Boislisle, 1879-1928, 41 vol.
- Sourches, marquis de (1639-1718), *Mémoires du marquis de Sourches sur le règne de Louis XIV,* éd. Cosnac et Bertrand, 1882-1893.

Le château

- Nolhac, P. de, *Versailles et la Cour de France,* Conard, 1925-1930, 10 vol.
- Verlet, P, *Versailles,* 1961, rééd. Fayard, 1985.
- Marie, A., *Naissance de Versailles,* Fréal, 1968.
- Marie, A. et J., *Mansart à Versailles,* Fréal, 1972 ; *Versailles au temps de Louis XIV,* Imprimerie nationale, 1976 ; *Versailles au temps de Louis XV,* Imprimerie nationale, 1984.
- Tiberghien, F., *Versailles : le chantier de Louis XIV, 1662-1715,* Perrin, 2002.
- Baridon, M., *Histoire des jardins de Versailles,* Actes Sud, 2003.

- Cornette, J. (dir.), *Versailles, le pouvoir de la pierre,* Tallandier, 2006.
- Le Guillou, J.-C., *Versailles, le château en construction,* Artlys, 2006.
- Collectif, *La Galerie des Glaces, histoire et restauration,* Éditions Faton, 2007.
- Gousset, J.-P. et Masson, R., *Versailles, l'opéra royal,* Artlys, 2010.

Points de Vue

- Guillou, E., *Versailles, le palais du Soleil,* Plon, 1963.
- Apostolidès, J.-M., *Le Roi-Machine, spectacle et politique au temps de Louis XIV,* éd. de Minuit, 1981.
- Néraudau, J.-P., *L'Olympe du Roi-Soleil, Mythologie et idéologie royales au Grand Siècle,* les Belles-Lettres, 1986.
- Himelfarb, H., « *Versailles, fonctions et légendes* », in *Les Lieux de mémoire, II, La Nation,* Gallimard, 1986.
- Caffin-Carcy, O. et Villard, J., *Versailles et la Révolution,* Artlys, 1988.
- Newton, W. R., *L'Espace du roi, la cour de France au château de Versailles, 1682-1789,* Fayard, 2000 ; *La Petite cour : services et serviteurs à la cour de Versailles au XVIIIe siècle,* Fayard, 2006.
- Da Vinha, M., *Les Valets de chambre de Louis XIV,* Perrin, 2004.
- Baumont, O., *La Musique à Versailles,* Actes Sud/ Château de Versailles/CMBV, 2007.
- Rohan, O. de et L'Espée, R. de, *Un siècle de mécénat à Versailles,* Regard/Société des Amis de Versailles, 2007.
- Maral, A. et Milovanovic, N. (dir.), *Louis XIV, l'homme et le roi,* Skira/Flammarion, 2009.
- Saule, B. et Arminjon, C. (dir), *Sciences et curiosités à la cour de Versailles,* RMN, 2010.

Catalogues

- Schnapper, A., *Tableaux pour le Trianon de marbre,* Mouton/École pratique des hautes études, 1967.
- Ledoux-Lebard, D., *Le Grand Trianon, meubles et objets d'art,* F. de Nobele/RMN, 1975.
- Hoog, S., *Musée national du château de Versailles, Les Sculptures, I,* RMN, 1993.
- Constans, C., *Musée national du château de Versailles, Les Peintures,* RMN, 1995, 3 vol.
- Maral, A., *La Chapelle royale de Versailles sous Louis XIV : cérémonial, liturgie et musique,* Mardaga, 2002.
- Gervereau, L. et Constans, C. (dir), *Le Musée révélé. L'histoire de France au château de Versailles,* Robert Laffont/Château de Versailles, 2005.
- Saule, B., *Versailles, décor sculpté extérieur,* 2005, EPV/RMN, www.sculpturesversailles.fr

Sites Web

- Site officiel du château de Versailles : www.chateauversailles.fr
- Grand Versailles numérique : www.gvn.chateauversailles.fr

TABLE DES ILLUSTRATIONS

INDEX

CRÉDITS PHOTOGRAPHIQUES

Archives nationales 38h, 38c, 38b, 39b, 39c, 41b, 42hg, 42hd, 42c, 43cg, 43cd, 43b, 44b, 45c, 47b, 47h, 50hd, 50d, 50bd, 51h, 51c, 51b, 60b, 61h, 61b, 62h, 62b, 63h, 63cg, 63cd, 63b, 64h, 90b, 98c, 98b, 110h. Biblioteca Estense, Modène 66b, 67h, 67c, 67b. Bibliothèque municipale de Versailles (photos P. Pitrou) 30, 56b, 73. D. R. 17b, 18h, 18c, 19, 21b, 25b, 27b, 31b, 47c, 49b, 57b, 75b, 78h, 78b, 79h, 79b, 100b. Giraudon 3b. Josse 120b, 121h, 121b, 127h. Musée national de Stockholm 38/39h, 50g. RMN/Gérard Blot 1er plat. RMN/Arnaudet 1er plat. RMN dos, 2e plat, 1, 4/5h 6/7, 8/9, 11, 12, 13, 14/15, 16h, 16c, 17h, 18h, 18c, 19, 20, 21h, 21b, 22/23h, 22b, 23b, 24h, 25h, 25c, 25b, 26g, 26d, 27g, 27d, 27b, 28, 28/29, 31h, 31b, 32, 33, 34, 35, 36/37h, 36/37b, 40h, 40b, 40/41, 41h, 44h, 44/45h, 46, 47c, 48h, 48c, 49h, 49b, 52, 53, 54, 55, 56h, 57h, 57b, 58/59, 60h, 64bg, 64d, 64/65, 65b, 68, 69, 70h, 70b, 71, 72c, 72b, 74/75, 75b, 76, 76/77, 77d, 78h, 78b, 79h, 79b, 80, 81, 82/83, 84/85h, 84/85b, 85d, 86, 87h, 87b, 88h, 88b, 89, 90c, 91h, 91b, 92, 93, 94, 95, 96d, 96/97h, 96/97b, 97hd, 98h, 99hg, 99hd, 99b, 100h, 100b, 101, 102h, 102bg, 102bd, 103, 104h, 104c, 105, 106h, 106c, 106b, 107h, 106/107, 107c, 108, 109h, 109b, 110b, 111h, 111b, 112h, 112b, 113h, 113b, 114, 115, 116/117, 117b, 118h, 118b, 119, 122h, 122c, 123, 124/125, 126/127b, 128, 129, 130, 134, 135, 136, 138/139, 141, 142, 143, 144, 145. The Royal collection, Saint-James' Palace, Londres, 2/3, 29b.

REMERCIEMENTS

L'auteur tient à remercier particulièrement Philippe Beaussant, Roland Bossard, Pierre Breillat, Martine Constans, Madame Hocquart, Simone Hoog, Gérald Van der Kemp, membre de l'Institut, Madame Laupies, F. Mossiker, D. Piot et Jacques Thuillier, professeur au Collège de France. Les Editions Gallimard remercient *Connaissance des Arts*, les Editions Actes-Sud, les Editions Art-Lys, les Editions du CNRS, les Editions Lefèbvre, les Editions de la Réunion des musées nationaux, *L'Œil*, et Isabelle Volf du service photographique de la Réunion des musées nationaux.

ÉDITION ET FABRICATION

DÉCOUVERTES GALLIMARD
COLLECTION CONÇUE PAR Pierre Marchand. DIRECTION Elisabeth de Farcy.
COORDINATION ÉDITORIALE Anne Lemaire. GRAPHISME Alain Gouessant.
COORDINATION ICONOGRAPHIQUE Isabelle de Latour. SUIVI DE PRODUCTION Perrine Auclair.
SUIVI DE PARTENARIAT Madeleine Giai-Levra. RESPONSABLE COMMUNICATION ET PRESSE Valérie Tolstoï.
PRESSE David Ducreux.

VERSAILLES, CHÂTEAU DE LA FRANCE ET ORGUEIL DES ROIS
EDITION ET ICONOGRAPHIE Michèle Decré. MAQUETTE Elisabeth Cohat (Corpus), Manne Héron (Témoignages et Documents). LECTURE-CORRECTION Catherine Leplat.

160